O QUE MOVE AS PAIXÕES

PAPIRUS ◆ DEBATES

A coleção Papirus Debates foi criada em 2003 com o objetivo de trazer a você, leitor, os temas que pautam as discussões de nosso tempo, tanto na esfera individual como na coletiva. Por meio de diálogos propostos, registrados e depois convertidos em texto por nossa equipe, os livros desta coleção apresentam o ponto de vista e as reflexões dos principais pensadores da atualidade no Brasil, em leitura agradável e provocadora.

CLÓVIS DE BARROS FILHO
LUIZ FELIPE PONDÉ

O QUE MOVE AS PAIXÕES

PAPIRUS 7 MARES

Capa	Fernando Cornacchia
Transcrição	Nestor Tsu
Coordenação e edição	Ana Carolina Freitas
Diagramação	DPG Editora
Revisão	Isabel Petronilha Costa

Dados Internacionais de Catalogação na Publicação (CIP)
(Câmara Brasileira do Livro, SP, Brasil)

Barros Filho, Clóvis de
 O que move as paixões/Clóvis de Barros Filho, Luiz Felipe Pondé. – Campinas, SP: Papirus 7 Mares, 2017. – (Coleção Papirus Debates)

ISBN 978-85-9555-007-0

1. Afeto 2. Amor 3. Paixão (Filosofia) I. Pondé, Luiz Felipe. II. Título. III. Série.

17-07235   CDD-128

Índice para catálogo sistemático:
1. Paixão: Filosofia   128

1ª Edição – 2017
5ª Reimpressão – 2022

Exceto no caso de citações, a grafia deste livro está atualizada segundo o Acordo Ortográfico da Língua Portuguesa adotado no Brasil a partir de 2009.

Proibida a reprodução total ou parcial da obra de acordo com a lei 9.610/98.
Editora afiliada à Associação Brasileira dos Direitos Reprográficos (ABDR).

DIREITOS RESERVADOS PARA A LÍNGUA PORTUGUESA:
© M.R. Cornacchia Editora Ltda. – Papirus 7 Mares
R. Barata Ribeiro, 79, sala 316 – CEP 13023-030 – Vila Itapura
Fone: (19) 3790-1300 – Campinas – São Paulo – Brasil
E-mail: editora@papirus.com.br – www.papirus.com.br

O que eu sei aos 60, sabia aos 20: 40 anos de um trabalho longo e inútil de verificação.

Emil Cioran

SUMÁRIO

Amor e outros afetos 11

A filosofia e o medo das paixões 21

Reverência pelos afetos 29

Afetos (não) autorizados 39

"Metade da laranja": A idealização do amor 53

A era da desconfiança 65

"Na moral": O conceito de amor prático 79

Amor em tempos de redes sociais 87

Glossário 99

Na toada de Rilke e inspirado nele escreveria a todos que já amei o que segue: crença tola essa que te atormenta. Supões com arrogância que me conheces. Assertivas ridículas de uma alma em temor. Covarde, prefere abortar. Sofrer sem arriscar. Convencer-se do fim do encanto. Capitular sem luta.

Pensas que o encantamento sumiu. Saibas que quase nada sou da imagem que resplandece.

Se já amaste o meu sublime céu que em ti refletiu terás reparado que não sou apenas o que te parece. Te encantaste com o que quiseste ver. E desdenhaste o inoportuno.

Apaixona-te por inteiro. E pelo todo. Quando fraquejares, serei tua fortaleza. Tua alegria, como gostam de dizer. E se me virares as costas saberei que não és tu que desdenhas mas tua inimiga melancolia que tenta em vão te aniquilar.

Clóvis de Barros Filho

N.B. As palavras em **negrito** integram um **glossário** ao final do livro, com dados complementares sobre as pessoas citadas.

Amor e outros afetos

Clóvis de Barros Filho – Existe uma dificuldade, que não é própria ao amor, mas a uma série de coisas que fazem parte da nossa vida, que é a de ter uma única palavra para dar conta de uma pluralidade quase ilimitada de ocorrências diferentes entre si, com naturezas distintas. Tomemos como exemplo algo infinitamente mais simples que a ideia de amor: a banana. Essa palavra, evidentemente, faz pensar em alguma coisa. Acredito que qualquer pessoa que se aventure a pensar numa banana deve chegar a um resultado imaginativo bastante parecido. A palavra, porém, precisa abranger uma infinidade de tipos de banana. E o que é pior: nenhuma banana no mundo é igual a outra, mas a palavra é uma só. Mesmo que alguém escolha uma única banana e resolva, arbitrariamente, atribuí-la àquela palavra para defini-la, terá um problema. Pois a fruta vai apodrecer, e continuaremos com a mesma palavra para representar algo que não para de se deteriorar. Como fazer, portanto, para que essa óbvia pobreza de linguagem dê conta de uma riqueza infinita de materialidade afetiva? Essa é uma solução complicada porque, no fim, quem está diante de uma única palavra talvez, por isso mesmo, espere por uma única definição, que deve compreender infinitas ocorrências que têm a pretensão de encaixar-se nessa categoria, representadas por essa palavra. No caso do amor, essa é uma dificuldade quase invencível. Digo isso porque, ao longo dos meus 51 anos de vida, creio já ter amado muitas vezes, e não vejo como seria possível reunir todos esses sentimentos sob uma única palavra. Seria abusivo. Por isso, repito: talvez o grande problema, que precisa ser enfrentado, seja ter uma única palavra para manifestações afetivas tão diferentes. Essa é, portanto, uma pequena dificuldade que qualquer pessoa que vá falar sobre esse assunto terá de enfrentar. Mas é uma dificuldade que, de certa maneira, é comum a outras questões e a outros objetos de que a filosofia costuma tratar.

Luiz Felipe Pondé – Vou trocar a banana pela manteiga, pois lembrei de uma história que tem tudo a ver com o exemplo que você deu, Clóvis.

Franz Rosenzweig, filósofo alemão do início do século XX, tem um livro conhecido como *O livrinho*. Na história, o personagem, chamado de Filósofo, vai a uma padaria comprar manteiga, a pedido da esposa. Na padaria, ele vê uma manteiga e, então, lhe surge uma dúvida mortal: "Será esta a manteiga que a minha mulher tem em mente?". Mas essa pergunta que ele faz não é apenas em termos de marca de manteiga. A questão é: "A manteiga que a minha mulher pensou pode ser materializada nesta manteiga? Ou a manteiga que a minha mulher pensou é uma manteiga que, na verdade, não é passível de ser materializada em manteiga nenhuma?". Ele para e analisa: "Talvez exista em algum lugar uma *manteiguicidade* que torna manteigas todas as manteigas, portanto, da qual a manteiga que a minha mulher tem em mente e esta manteiga participam. A manteiga que a minha mulher pensou se reúne com esta manteiga na *manteiguicidade* que sustenta todas as manteigas". Depois, questiona: "Mas e se não existir a *manteiguicidade* das manteigas? O que será de mim se eu comprar a manteiga errada?". Aí, ele desmaia! Tem uma crise catatônica. O personagem é levado para um sanatório e, lá, ele passa por todo um tratamento – o objetivo do livro é antimetafísico – para lidar com a ideia de que, na verdade, não existe *manteiguicidade* nenhuma, as palavras não representam absolutamente nada de verdade, de definitivo. No final do tratamento, ele conta ao psiquiatra um sonho que teve, que seria a chave da cura. Nesse sonho, ele vê um homem com uma máscara se aproximando. Ao tirar a máscara, o homem lhe diz: "Você não está me reconhecendo? Eu sou o seu irmão gêmeo, a morte". Na verdade, o personagem tinha medo de não chegar à *manteiguicidade* da manteiga, porque queria ter absoluta certeza das coisas, já que a negação da certeza das coisas, afinal, é a negação da eternidade dos significados. Aqui, Rosenzweig faz uma crítica a **Platão** como pai da metafísica e do mundo perfeito das substâncias, onde existiria a "ideia perfeita da manteiga", assim como a ideia do Bem e do Belo.

Às vezes, temos a necessidade da certeza absoluta, assim como temos a necessidade da certeza de que a pessoa que nos ama nos ama. Talvez, o campo dos afetos seja onde isso fica mais evidente. Não é à toa que, quando pensamos na origem da palavra "afeto", do latim *afeccio*, chegamos à palavra "afecção", em português. "Afecção respiratória", "afecção cardíaca"... É doença, assim como *pathos*, do grego. Duas coisas me interessam muito nesse assunto: em primeiro lugar, o fato de o afeto estar relacionado àquilo que em nós é doença – mas não doença no sentido banal da palavra, e sim no sentido daquilo que nos afeta para além da nossa capacidade de autonomia. Quando somos afetados por alguma coisa, significa que não temos controle sobre ela. E há um segundo ponto, mais relacionado ao momento histórico, que também me interessa muito no tema do afeto.

A modernidade é uma época que tem por objetivo controlar tudo. E o afeto, por definição, é aquilo que não é controlável. A minha hipótese – que, claro, não é uma hipótese científica, pois não posso comprová-la, e sobre a qual conversaremos ao longo do livro – é de que, talvez, não exista nenhuma outra época histórica que tenha como objetivo a eliminação completa dos afetos. Minha impressão é que o mundo contemporâneo tem como projeto, entre outros, um lugar onde não exista amor nenhum. Não porque todo mundo se odeie, não esse papo anticristão, mas porque ninguém sinta mais nada. Eu vejo em temas como o poliamor, por exemplo, um desses sintomas. Pois amor é afeto, e afeto é sofrimento, perda de controle; afeto é alegre, é triste – como dizia **Espinosa**, "uma paixão alegre e triste". O afeto é ali onde não se consegue decidir por si só, onde não se consegue ter controle absoluto da situação. Então, se passarmos do exemplo da manteiga para o afeto, ele é mais problemático ainda. Porque se não amarmos uma pessoa do jeito que ela quer, o mundo acabou. Na verdade, quando falamos em amor, pode ser *amor pathos*, paixão; *amor philia*, amizade; *amor eros*, mais relacionado ao dínamo, ao desejo; *amor ágape*, compartilhamento cristão. Podemos elencar vários verbetes para significar aquilo que as pessoas descrevem normalmente como amor e também como afeto. Eu considero o conceito de afeto mais focado que o de amor. Veja, não estou dizendo que o amor não seja bom, mas sim que o afeto é um pouco mais focado no sentido de que envolve uma condição em que uma pessoa é objeto de algo que a controla. Quando nos apaixonamos por alguém, ele invade a nossa vida assim como o princípio patológico – não estou comparando amor à doença no sentido negativo, mas à sua mecânica. Quando nos apaixonamos por alguém, ele ocupa a nossa vida de forma tal que se torna referência, que não seja possível viver direito sem ele, que não se consiga respirar, não se tenha vontade de fazer nada. Para mim, aí está o núcleo do conceito de afeto: ser afetado por algo que se não controla.

Clóvis – A ideia de que a banana não para de se transformar foi destacada por você exatamente num ponto dos afetos que é justamente a sua perspectiva de fluxo, que desafia toda a *manteiguicidade*. Quando nos relacionamos com uma pessoa e, supostamente, a amamos, é muito comum que ela nos cobre declarações de amor. E se dissermos: "Veja, eu me lembro de, no começo do ano, ter dito a você que a amo. E isso, para mim, basta", é evidente que não basta. Tanto que existe uma cobrança por novas declarações. Declarações diárias. E se elas passarem a ser diárias, talvez tenham de ser horárias... Porque existe certa intuição de que aquela declaração tenha se tornado caduca, ou seja, de que o tal do afeto já não exista mais. Imagino que, sendo assim, de fato há uma preocupação com tudo que é afetivo, porque ele está inscrito naquela parte da vida que realmente escapa ao nosso controle. **Epicteto** diz que a vida é dividida em dois tipos de situação: aquela em que planejamos, projetamos, vivemos a princípio na mente, sobre a qual nós temos o controle etc.; e aquela que é relevante para a felicidade, que é vivida do mesmo jeito, mas escapa ao nosso controle. E a questão afetiva, obviamente, está inserida nesse segundo tipo, em que pouco ou nada podemos fazer com o que vai acontecendo conosco. Mas acredito que exista nessa perspectiva afetiva uma questão de transformação operada nas relações que mantemos com o mundo. Isto é, o afeto, no fim, é uma espécie de interpretação que fazemos da maneira como o mundo vai nos transformando, como vai nos modificando nas múltiplas relações que mantemos com ele. Certas transformações ou afetos são positivos, bons de sentir, ao passo que outros são negativos, ruins de sentir. A título de exemplo, a dor, que é um tipo de afeto muito nítido, fácil de ser percebido, é algo desagradável. É claro que ela pode ser indicativa de coisas que tenhamos de aprender para nos proteger etc., mas em sua essência a dor é muito negativa e, portanto, de fácil interpretação naquilo que é o seu valor. Já em relação ao amor, é difícil definir, antes de mais nada, se ele é um afeto positivo ou negativo, bom ou ruim de sentir.

Espinosa dirá que o amor é uma alegria. Se é uma alegria, significa que todo afeto amoroso é necessariamente um ganho de potência, um ganho de energia vital. Nesse sentido, para Espinosa, o amor é sempre bom. Não é uma alegria qualquer. A alegria amorosa é uma alegria que vem acompanhada, como ele diz, da ideia de sua causa. O amor seria um ganho de potência cuja causa supomos conhecer, isto é, formulamos uma hipótese daquilo que no mundo causaria a nossa alegria. A sua presença,

Pondé, aumenta a minha potência de agir. Se há aumento de potência de agir, existe alegria, e eu o identifico como causa da minha alegria. Nesse caso, experimento uma alegria amorosa porque tenho um ganho de potência que vem acompanhado de uma hipótese, de uma suposição de qual é a sua causa.

Pode acontecer de nos alegrarmos sem termos nenhuma ideia da causa dessa alegria. Nada impede de nos alegrarmos sem diagnóstico dessa causa. Ficar alegre sem saber por quê. Nesse caso, segundo Espinosa, haveria alegria sem amor. A definição de Espinosa é muito interessante, porque, para ele, se o amor é sempre alegria, muito do que chamamos de amor está excluído desse cenário. Eu me lembro, sinceramente, em meus amores, de ter muito mais sofrido do que outra coisa...

Pondé – Acho que Espinosa nunca amou ninguém...

Clóvis – A definição dele é bem limpa, bonita, coerente, mas não se encaixa perfeitamente nas minhas experiências de vida porque, quando amei, tive ciúmes e, desse modo, me apequenei muitíssimo. Eu me senti diminuído, me aproximei da morte. O meu ciúme foi triste. Espinosa tem toda uma teoria sobre o ciúme, que um dia me meti a estudar. Em resumo, a verdade é que, quando imaginamos que alguém possa colocar em xeque algo que determina a nossa alegria, sentimos ciúme. E o afeto de ciúme é desagradável de sentir. Tenho certeza de que esse ciúme, de alguma forma, integra aquilo que nós chamamos de amor – os meus amores, pelo menos. Pergunto: de que adianta falar de amor se ele não compreender aquilo que vivi? Nesse sentido, que me desculpem os teóricos, só posso falar de algo submetido ao crivo do que vivi. Se alguém me disser que amor é uma alegria acompanhada da ideia de sua causa, eu responderei: "Isso existe mesmo". Por exemplo, vou a Belo Horizonte e me deparo com a geleia de mocotó da dona Elza. Eu degusto a geleia de mocotó e ela me alegra, determina em mim um ganho de potência – portanto, identifico a causa. Sou afetado de uma alegria amorosa pela geleia de mocotó da dona Elza. Mas eu tenho a impressão de que o amor não é só isso.

A filosofia e o medo das paixões

Clóvis – Se o amor é uma alegria acompanhada da ideia de sua causa, não há aí nenhuma garantia de que esta seja a causa verdadeira dessa alegria. Portanto, é perfeitamente possível estar equivocado. Ou se preferir, é possível amar errado, propriamente, porque se identifica equivocadamente aquilo que teria determinado a sua alegria. Dou um exemplo: uma jovem de São Paulo resolve passar o *Réveillon* em Punta del Leste, no Uruguai, num momento de "entressafra afetiva" – entre uma desilusão e uma nova ilusão.

Pondé – E a próxima desilusão.

Clóvis – Ou a próxima ilusão. Ela conhece um jovem em Punta del Leste, e os dois saem juntos. Conclusão, ela volta para São Paulo e diz: "Eu estou amando Guillermo" – ou Geraldo etc. Sendo assim, resolve convidá-lo para ir a São Paulo. O rapaz pega o avião, ela vai buscá-lo no aeroporto de Cumbica e, já na Marginal, percebe que houve um erro de diagnóstico. Quer dizer, ela teve uma alegria em Punta del Leste, quando estava de férias, comemorando o *Réveillon*, com um pouco de dinheiro. E ela, equivocadamente, atribuiu a sua alegria àquele jovem. Quando tudo sumiu e veio só o rapaz, ela percebeu que houve um equívoco. Aquele jovem não era a causa da sua alegria, porque ele a entristeceu já na avenida Ayrton Senna... Veja, então, que curioso: na definição de Espinosa, é possível viver um afeto e, nesse mesmo afeto, estar equivocado. Pois, se a ideia da causa faz parte do afeto, o amor é um afeto que assume o risco de ser atravessado por um erro de diagnóstico. Nós poderíamos propor que haveria aí uma sabedoria amorosa, que é a de ser capaz de identificar com a maior correção possível as causas da nossa alegria. Aparentemente, Espinosa nos convida ao amor. Tenho a impressão de que, de certa maneira, ele considera o amor um afeto superior à alegria. O amor seria um tipo qualificado de alegria. Ele nos convida a usar a inteligência para atribuir causas às nossas alegrias, o que poderia ser entendido como um rudimento de análise afetiva. Em outras palavras, não fique só na alegria. Não se limite ao ganho de potência, mas use a sua competência intelectiva para relacionar essa alegria e esse ganho de potência a essa ou aquela causa, porque isso pode ajudá-lo a viver melhor, dentro de uma perspectiva de preparação para o devir. Ora, se Espinosa nos convida a usar a inteligência para identificar as causas da nossa alegria, evidentemente, estamos convidados a uma espécie de treinamento, de aperfeiçoamento. Que é um aperfeiçoamento na identificação das causas dos nossos afetos. E quem fala em alegria, fala necessariamente em tristeza e ódio. Porque, para Espinosa, o ódio nada mais é que uma tristeza acompanhada da ideia de sua causa. Ou seja, somos afetados de ódio por alguém ou por algo na medida em que identificamos esse alguém ou esse algo como causa da nossa tristeza ou do nosso apequenamento de potência. Existem aí, na verdade, dois diagnósticos: primeiro, perceber a alegria e a tristeza – o que já não é evidente, porque quase todo o tempo estamos vivendo sob a égide do piloto automático, sem trazer à consciência as nossas oscilações de potência. Depois, como se não bastasse identificar o tempo inteiro as nossas alegrias e tristezas, é preciso identificar corretamente as suas causas. E aí, talvez, tenhamos adquirido uma espécie de sabedoria amorosa, que seria muito contributiva da nossa vida. Mas insisto num ponto muito interessante: se o amor é alegria, é muito pouco da nossa vida afetiva que se traduz em alguma consciência – digo *consciência* mesmo, com elaboração discursiva etc. – e identificação de causa. Da simples alegria como aumento de potência de agir, percebido ou não, ao amor que vem acompanhado da ideia de sua causa, a meu ver, temos uma distância absolutamente oceânica. É preciso que a alegria ou a tristeza seja um caminhão no pescoço para que se permita uma reflexão a respeito. Vejo que há bastante coisa a ser explorada que eu, particularmente, acho muito legal. Não tanto por ensinar Espinosa, mas muito mais por enxergar, naquilo que ele fala sobre o amor, algo meio distante do que eu vivi como experiência amorosa.

Pondé – Mais um pecado típico dos racionalistas... Algo que a gente ensina para aluno de mestrado e doutorado é que não se pode deduzir a filosofia com base na vida de *uma* pessoa. Inclusive, porque isso vai ser outra tese. Não vai ser uma tese sobre o conceito X do filósofo Y ou seja lá o que for. Mas eu sempre acho interessante a vida que uma pessoa tem e aquilo que ela produz, apesar de concordar que não se pode fazer uma dedução matemática de uma coisa para outra. E essa teoria de Espinosa parece mesmo uma teoria de quem, de alguma forma, viveu pouco. Logo que você compara a sua experiência de amor e afeto com a teoria, já está clara a distância. Na verdade, quem está, do meu ponto de vista, mais próximo da realidade do que seria amor e afeto é você, Clóvis, do que Espinosa. Porque você fala de ciúme e, no caso dos homens – mas não só deles –, temos dentro de nós duas figuras que são sempre perigosas quando amamos uma mulher. De um lado, é Dom Casmurro; de outro lado, Otelo. Portanto, algo que me chama atenção, na história da filosofia, de modo geral em Espinosa, é que ela sempre teve medo das paixões, no sentido de afetos. A filosofia sempre colocou as paixões um pouco no lugar do que chamaríamos, em filosofia moral, de heteronomia. Isto é, elas tornam a nossa relação de comportamento heterônoma, no sentido de que o centro da ação não somos nós, mas as paixões. Ou, como eu dizia no começo, o afeto – vou usar aqui paixão como sinônimo de afeto. O centro da ação está na paixão, no agente "infeccioso", para ficar na linguagem médica. O centro da ação está no agente e não em nós mesmos. Desse modo, a nossa ação se torna heterônoma – *heteros*, outro; *nomos*, regra, lei. É no outro que está a regra do que fazemos. Por essa razão é que, quando falamos em "autonomia", significa "eu sou a regra do que faço", "eu sou a causa da minha ação". É uma filosofia que, no caso da Grécia mais especificamente, aparece na tensão entre Platão e os poetas gregos anteriores a ele e na própria busca, seja de **Sócrates**, seja de Platão, seja de **Aristóteles**, seja da sofística de modo geral, da autonomia da filosofia. Ou seja, conseguir produzir algum tipo de pensamento que não seja em si teogônico, cosmogônico. Isso já aparece com os chamados pré-socráticos, como **Tales de Mileto**, **Anaximandro**, **Anaxímenes** e outros que buscam princípios do que seria fisiológico. Para eles, por isso chamados por alguns de fisiólogos, o princípio das coisas estava no ar, na água, no fogo... Ainda que pareça ingênuo para nós, temos ali uma raiz dessa tentativa filosófica de dizer que o princípio das coisas não são entidades divinas – "o deus tal que transou com a deusa tal e aí nasceu não sei o quê". Portanto, alguns princípios estariam ao alcance da nossa percepção e do nosso pensamento. Acredito que a filosofia nasce numa tensão em relação ao *pathos* e ao *afeccio*. Inclusive, nas crenças órficas – sou encantado pela visão trágica da religião grega –, já temos a ideia de que existem princípios impuros na matéria que constitui a realidade, e que esses princípios são as *pathe*, as paixões. Ou seja, a filosofia sempre teve medo dos afetos. Espinosa, de certa forma, é um dos primeiros grandes filósofos que tentam olhar para isso sem medo, apesar de também concordar com você, Clóvis, que a explicação dele é ingênua.

Na filosofia cristã, o terreno dos afetos e das paixões fica dentro do pecado. A única ideia que escapa é a do amor cristão, da *caritas*, do ágape, que é uma espécie de aniquilamento do eu, como superação de sentimentos ruins, do pecado – concupiscência, como se falava em latim. É aquela discussão, bastante influenciada por Aristóteles, de que o pecado faz com que a vontade se descole do intelecto, portanto ela fica desordenada, desorganizada. Esse olhar negativo, ainda que numa chave meio cristã, mostra a filosofia com medo do *pathos*. E a minha tese, na verdade, é de que temos medo dos afetos até hoje, e não sem razão. Com Espinosa, como filósofo moderno que é, começamos a descolar dessa filosofia negativa da natureza humana, e surge aquilo que os franceses, nos séculos XV e XVI, chamam de *perfectibilité de l'homme* – a ideia de que o homem pode ser aperfeiçoável, o que exige uma visão mais positiva, de alguma forma, dele. Nisso, me chama a atenção o fato de que Espinosa, como filósofo que é filho desse processo de um olhar mais moderno, de uma crítica às dimensões sombrias, tende para um otimismo um pouco ingênuo – "Cuidado! Religião não é teologia; é antropologia política. É uma invenção de uma elite judaica", como podemos ver na discussão que ele faz no *Tratado teológico-político*. E Espinosa é o crítico de que todo moderninho gosta porque fala mal das religiões. Pode parecer esquisito o que vou dizer, mas tenho a impressão de que, na verdade, na compreensão dos afetos, nós regredimos. Se tomarmos um texto dos séculos XIII, XIV sobre amor, que depois foi chamado de amor cortês, que é a matriz da nossa concepção de amor romântico, a definição era a seguinte: "O homem perde o patrimônio e a mulher, a reputação". No Brasil, dizemos que o homem pensa com a "cabeça de baixo" quando se apaixona. E quando ele pensa com a "cabeça de baixo", e deixa de pensar com a "cabeça de cima", passa a avaliar de modo errado o que está acontecendo. Voltar a pensar com a "cabeça de cima", para ele, é quase como se tivesse que apostar na tristeza, no hábito, no cotidiano, no patrimônio, porque ele vai enlouquecer pela mulher se pensar com a "cabeça de baixo". E a mulher vai perder a reputação, como os medievais falavam, porque ela vai "meter os pés pelas mãos", vai trair o marido, vai ser vista em público com um homem com quem não devia, todo mundo vai falar mal dela – o que acontece até hoje...

Reverência pelos afetos

Pondé – Penso que a nossa época, não só em relação aos afetos, será conhecida no futuro, entre outras coisas, como a era da mentira. Trata-se de uma época mentirosa a serviço da crença na *perfectibilité*. Nesse sentido, vejo Espinosa como alguém que diz: "O amor é legal. Há paixões que são ruins, paixões cuja causa conhecemos. No fim, tudo é questão de ganho ou perda de potência". Só que, na verdade, até hoje ouvimos facilmente que uma mulher é vagabunda, descarada, porque foi vista com um homem casado – e isso é dito, inclusive, por outras mulheres. Em nenhum momento, essa mulher vai ser avaliada como alguém que pode estar numa relação amorosa, numa relação afetiva de fato. Não. A desconfiança será de que ela é uma vagabunda, portanto, perdeu sua reputação. Nesse aspecto, vejo que o medo que a filosofia tinha em sua origem dos afetos e das paixões era mais decente. Não quero propor, com isso, uma volta ao passado. Mas antes, pelo menos, não havia na filosofia a tentativa de dizer que um dia nós vamos chegar a uma sociedade na qual os afetos são todos alegres, aumentarão nossa potência; afetos que teremos às segundas e terças-feiras, por exemplo, mas que não vamos querê-los às quartas, pois precisaremos nos concentrar em outra coisa.

A hipótese que quero desenvolver aqui é a seguinte: para que possamos pensar em afetos, amor, paixões etc., precisamos ter certa reverência por eles. Porque eles são perigosos. Talvez a natureza, em sua providência, tenha sido sábia, como diria **Montaigne**, em tirar das pessoas mais velhas a loucura das mais jovens. Pois me parece que a perda de reverência pelo risco acontece no momento em que somos tomados por algum afeto. Por exemplo, o ódio, com o terrorismo na era das mídias sociais. Se um ônibus qualquer atropela quatro pessoas, isso já é visto como um ataque terrorista. O Estado Islâmico reivindica a autoria do atentado, mas o motorista do ônibus nunca foi de lá, é apenas um muçulmano, com problema de integração na França, que foi posto para fora de casa pela mulher porque estava bêbado e desempregado. Só que ele tinha conhecido num *site* o Estado Islâmico, então atropela e mata quatro pessoas francesas, brancas e cristãs, vai preso e fica famoso. Ele deixa de ser o incapaz posto para fora de casa por estar bêbado e não trabalhar e se torna alguém que está enfrentando os infiéis ocidentais. Por isso, digo que falta para nós, hoje, no mundo contemporâneo, reverência pelos afetos e pelas paixões. E falta, porque achamos que podemos, inclusive, defini-los bioquimicamente, conforme a ciência material avança e produz remédios ótimos, cada vez melhores. Isso me

> **Para que possamos pensar em afetos, amor, paixões etc., precisamos ter certa reverência por eles. Porque eles são perigosos.**

parece um grande engodo. Não era à toa que **Adorno** dizia que a ciência é o fetiche da burguesia. Imagine se existisse remédio para raiva, para ódio, para amor? Alguém diria: "Vou tomar um remédio para sentir vontade de ajudar os pobres". Mas ele *quer* mesmo ajudar os pobres ou não? Os afetos trazem essa questão à tona, Clóvis. Eles são verdadeiros justamente quando nos transtornam. Se conseguimos ter afeto por duas horas, isso é mais instrumentalização de uma meditação do que a própria experiência afetiva. Foi por essa razão que tomei o ódio como exemplo. Quando o terrorista – que aqui estou usando como clichê de alguém movido por ódio, ressentimento, rancor – é tratado como vítima social, na verdade, isso só aumenta a vontade dele de explodir o outro. Porque o terrorista não se vê dessa maneira. Até posso concordar com a sociologia e entendê-lo como uma pessoa que tem um problema de integração social. Mas, quando ele ataca, seu ódio é motivado por causas que lhe parecem justas. O terrorista pratica o ódio porque esse é o modo de sustentá-lo vivo. Porque, naquele meu pequeno relato hipotético, ele perdeu a mulher, os filhos, o emprego, e a única forma que encontra de se manter em pé é odiando. Espinosa, como filósofo moderno por excelência, é sintomático nisso. O processo modernizador age em relação à libertação do sujeito fazendo com que creia numa certa facilitação chique dessa mesma libertação. Isso lembra algo mais do mundo corporativo, onde se diz: "O amor o torna criativo, o torna mais assertivo". Sendo que, na realidade corporativa, tudo o que não se pode ter é criatividade! É a ideia de que seja possível tomar duas gotas de afeto por dia para que sejamos pessoas mais integradas na vida, mais produtivas. Por isso, entendo que o afeto e a paixão continuem sendo muito mais o que os gregos e os cristãos pensavam, mesmo com todo o problema de inferno e pecado.

Insisto: falta-nos reverência pelos afetos. Acreditamos que, no final, tudo vai dar certo, mas os afetos estão pululando pelo mundo contemporâneo. Por exemplo, os russos, como já sabíamos desde o século XIX, infelizmente continuam se movendo por afetos. **Putin** acha que pode tomar o que quiser. Nesse ponto, já não estou mais falando de amor romântico, mas de afetos, inclusive, políticos. Essa é uma discussão interessante porque hoje existem vários teóricos, como **Alain Badiou**, na França, e **Vladimir Safatle**, no Brasil, que têm usado a linguagem de pulsão política, afetos políticos, eros, uma leitura meio deleuziana, meio nietzschiana, que passa pela França, por Maio de 68... É a tese de que é preciso dar uma estrutura política para que os afetos sejam mais assertivos. Ou seja, de novo a ideia de que se possa colocar afetos a serviço de uma vida social, o que, para mim, nos leva à Suécia e aos filmes de **Ingmar Bergman**: todo mundo civilizado, mas torto. Acho que afeto é doença.

Clóvis – São tantas coisas que podem ser comentadas nesse sentido. A primeira que eu destacaria é que, curiosamente, talvez tenhamos regredido muito na reflexão sobre os afetos. Mas, quando tomamos a literatura dita da pós-modernidade, há justamente uma preocupação central com os afetos. Assim, **Maffesoli**, **Bauman**, **Vattimo** e todos aqueles que pertencem ao grupo dos pós-modernos falam o tempo todo em revolução do baixo ventre. Alegam que não há nenhuma soberania da racionalidade diante das inclinações afetivas e que, enquanto não tivermos uma reverência, como você falou, Pondé, pelos afetos, não conseguiremos entender nada ou quase nada sobre as relações humanas. Claro que é possível que todo esse alerta ainda não tenha dado conta da atualidade do problema.

Mas, hoje, acredito que exista pelo menos uma preocupação com isso, que esteve ausente durante muito tempo a reboque de uma fileira que começa com Platão, passa por alguns medievais e depois por **Descartes** e **Kant**. E, de fato, temos uma verdadeira filosofia chapa-branca, uma filosofia oficial, dominante, digamos assim, com uma imensa desconfiança dos afetos na medida em que eles possam comprometer uma pureza de racionalidade, uma autonomia, uma soberania de pensamento e assim por diante. Isso é visto também no dualismo – separação entre corpo e alma, a ideia de que as percepções de dentro da caverna são todas contaminadas de erro, portanto, é preciso sair dela. Pois é no interior da própria parte superior da alma ou, se preferir, da própria mente, que estão as verdades absolutas. Depois, devemos voltar à caverna e tirar os pobres coitados que ali estão submersos em experiências sensoriais e erro, para trazê-los conosco à verdade absoluta das coisas. Ora, tudo isso é muito indicativo do quanto desconfiamos das paixões e dos afetos. E, de certa maneira, da incrível pobreza da reflexão sobre os afetos quando comparada ao restante do que se ocupa a filosofia: a lógica, o estudo das racionalidades etc., questões que ao longo do tempo se desenvolveram muito mais.

Outro ponto que acho interessante em sua fala, Pondé, é que, de fato, cada momento da história faz uma avaliação sociológica possível dos afetos no sentido mesmo de entender que, seja qual for a época que tenhamos vivido, haverá uma intervenção social e política sobre nossos corpos para que possamos desejar o desejável e nos deixarmos afetar de maneira, digamos, autorizada. Quem destaca isso de modo mais explícito é **Marcuse**, com *Eros e civilização*, mas há muitas propostas teóricas que mostram que é possível fazer uma história/sociologia dos afetos a partir das intervenções de poder sobre os corpos: ortopedizando, esculpindo... E fazendo-nos desejar o desejável e impedindo-nos de desejar aquilo que tumultuaria ou subverteria a ordem ou seria inadequado. Portanto, há mesmo uma possibilidade de estudo da política em seu significado mais amplo, como espécie de avaliação do conflito a respeito da escassez do mundo e da busca de afetos positivos, de potência de agir, de alegria. Isto é, se formos atrás de alguma coisa que, imaginamos, nos afete de alegria, aumente a nossa potência, evidentemente estaremos numa situação de conflito, porque não há mundo para todos, não existe causa de alegria para todos. Portanto, vê-se aí uma perspectiva de conflito que, talvez, nos dias de hoje, tenha alcançado um grau significativo de explicitação. Com as novas tecnologias, com essa maior facilidade de manifestação e reunião de grupos, enxergamos claramente, na busca da potência, nesse *conatus* que é a nossa inserção no mundo e esse esforço que temos para manter a nossa potência em alta, o quanto acabamos projetando no outro um impeditivo perigoso da nossa alegria e o quanto isso implica eliminação, vitória, massacre etc. Eu penso que, desde Platão, já havia essa denúncia. Quando fala do Eros no banquete, ele começa por Fedro. Aliás, para o leitor que for ler *O banquete*, vai esta advertência importante: até chegar a Sócrates, que é o porta-voz oficial do platonismo, Platão usa porta-vozes de discursos com os quais não concorda completamente ou não concorda absolutamente. Não é muito comum que o ponto de vista do autor esteja na página 350 do livro, mas no caso de Platão é assim que funciona. E Fedro, que é o primeiro a falar nessa sequência de discursos sobre o Eros, sobre aquilo que a maioria das pessoas chama de amor platônico, o definirá como um deus e, ao mesmo tempo, uma energia vital. Em contraposição à última frase da sua fala, Pondé, quando você diz que, em sua opinião, afeto é doença, Fedro nos apresenta uma dimensão positiva de Eros que é muito interessante, porque o indivíduo que ama tende a agir de maneira moralmente superior a daquele que não ama. Essa tese sempre me chamou atenção, pois é possível encontrá-la ainda hoje no senso comum. Pessoas que se dizem amorosas são imediatamente associadas a um comportamento moral mais bem-visto do que indivíduos que se dizem indiferentes ou que se assumem como atravessados pelo ódio. Portanto, há uma vinculação do afeto com comportamento amoroso até hoje. E Fedro continua: "Por que uma pessoa que ama tende a agir de maneira moralmente mais justa?". E a resposta que ele mesmo dá me atrai pela simplicidade: "É que quando uma pessoa ama, quer ter do outro, do amado, o olhar mais admirado possível. Para isso, ela vai agir de modo moralmente adequado". Sempre achei essa argumentação curiosíssima, por ser bastante contemporânea no sentido de alguém agir em nome do que os outros pensam sobre ele, em busca de certa notoriedade, de admiração, como vemos hoje nas redes sociais, em que as pessoas estão o tempo todo se colocando numa posição admirável por parte daqueles que as seguem, daqueles que as observam. Mas o que Fedro não conta é a possibilidade de o amado ser encantado com posturas morais canalhas. Vamos imaginar a pessoa apaixonada que vive uma relação amorosa com um assaltante de banco. O que vai despertar maior admiração no assaltante de banco talvez seja um tipo de habilidade não necessariamente vista pelo restante da sociedade como moralmente aplaudível, positiva. De qualquer modo, temos em Fedro um tipo de argumentação que busca dar a Eros um olhar positivo e que não deve ser desprezado, pois é o discurso que abre *O banquete*. Além disso, sabemos do apreço que Platão tinha por Fedro a ponto de lhe dar um diálogo exclusivo, individual. Sendo assim, acredito que Platão atribuía a essa tese alguma relevância e, na sequência, eu chamo atenção para todas as suas consequências.

Afetos (não) autorizados

Clóvis – Imaginemos uma sociedade constituída só por amantes. Essa é uma ideia incrível, porque se o amante é aquele que age corretamente para ter do amado a sua admiração, se todos ali são afetados de amor ou, se preferir, são *erotizados*, nesse caso, teríamos uma sociedade que dispensaria qualquer tipo de repressão, poder judiciário, fiscalização, radares, quebra-molas, *chips*, câmeras fiscalizadoras etc., uma vez que o amor bastaria. O amor estaria no lugar de toda essa parafernália que garante à nossa sociedade alguma segurança. Pois, como o amante quer a admiração do outro, vai agir adequadamente. Claro, ainda resta o problema de o amado ser ou não alguém que admira um comportamento moralmente positivo.

N'*O banquete*, logo depois de Fedro, Platão traz Pausânias, que vai dizer uma série de coisas interessantes sobre o Eros, mas uma delas é mais importante aqui. Em seu discurso, fala da sorte daquele cujos afetos, ou melhor, cujas inclinações apetitosas, cujas inclinações eróticas coincidem com aquilo que a sociedade da qual ele faz parte autoriza. Caso contrário, ou ele engole o choro e passa a desejar o que os outros mandam ou, então, resolve fazer uma subversão no sentido de redefinir os afetos autorizados e os afetos não autorizados. De certa forma, Pausânias é uma espécie de patrono eterno das passeatas *gays*, pois eis aí um exemplo claro de transformação histórica sobre o valor dos afetos de tal maneira que um tipo de inclinação absolutamente proibido ou indesejável em algum momento do passado passa a ser tolerado, aceito e, até mesmo, aplaudido. Esse é o tipo de reflexão que Pausânias apresenta. Que nada mais é do que Platão se manifestando por intermédio de algum personagem. Pausânias já dizia: "Em Tebas, a homossexualidade é inaceitável. Mas em tal lugar, ela é muito bem-vista. O que prova que o valor do afeto é um valor social, político e histórico. Portanto, deve ser entendido e interpretado como tal". Essa é uma lição importante, porque sabemos que esse problema, esse adestramento, essa canalização erótica permanece até hoje. Não é por acaso que escondemos, o máximo que conseguimos, os nossos afetos. Pois, no momento em nos vemos forçados a revelá-los, evidentemente, estamos submetidos a um crivo de atribuição de valor dos mesmos que é imediato. Por exemplo, numa cidade de interior, uma vizinha conversa com outra sobre o namorado da filha. Conta que está feliz, pois a filha está namorando um "bom partido". Existe aí a aprovação da inclinação afetiva porque o objeto do amor da filha está socialmente autorizado naquele cenário. Nisso, temos uma série de itens que, historicamente, preenchem a categoria de "bom partido". Em algumas épocas, há uma prioridade à filiação familiar; em outras, ao cargo ocupado no trabalho; em outras, ainda, à prática de consumo. As ênfases são diferentes, mas o fato é que colocamos em prática certa grade de referências para atribuir valor às nossas inclinações afetivas. Com isso, percebemos claramente que existem afetos que vão ser aplaudidos. Sendo aplaudidos, vão nos trazer sentimentos bons e, portanto, afetos que a sociedade vai estimular. E existem afetos que serão vaiados, proibidos, tidos como inaceitáveis etc. Por vezes, serão severamente punidos. Lembro-me do encanto que eu, com 16 anos, tinha por uma professora de inglês, de 70. Eu sabia que havia comentários na escola de que pudesse existir entre nós um caso, propriamente. Isso foi suficiente para tornar minha permanência na escola impossível. E causou um conflito interno na minha família, que também não aceitava aquela possibilidade de relacionamento. A convivência com a professora tornou-se, então, impraticável, porque aquele não era um afeto autorizado em virtude da diferença de idade entre nós. Passa-se a história, passam-se as sociedades, os critérios podem mudar um pouco, mas o fato é que, muitas vezes, para amar é preciso "ter colhão" para enfrentar um mundo que está contra nós. Outro exemplo: uma moça que namora um homem rico, bem instituído. Em suma, um bom partido. E, em conversa com uma amiga solteira, lhe diz: "Fique tranquila, logo você vai encontrar alguém parecido". Veja que curioso, a intervenção da sociedade sobre os afetos não é como aprender a resolver uma equação de segundo grau, 100% consciente e cognitiva. Ela é, em grande medida, à revelia da nossa percepção. Ou seja, vamos sendo construídos socialmente, socializados de certa maneira para passar a desejar o que está autorizado, e temos a impressão de que aquele desejo que se manifesta aos 30 anos de idade é fruto da nossa mais genuína natureza desejante. Quando, na verdade, é o resultado de uma acomodação que vem sendo feita ao longo de um processo civilizatório complicado, em que, dia a dia, vamos sendo aplaudidos e vaiados e, portanto, alegrados e entristecidos, com base naquilo que demonstramos como inclinação afetiva. Se uma criança agarra a professora, entende-se que está na idade de fazer isso. Mas se passar um tostãozinho dos padrões sociais, já vai ser enquadrada num certo tipo de desvio a ser trabalhado. E se ela, um pouquinho mais para a frente, continuar agarrando a professora, o seu desvio vai ser mais severamente punido, até o ponto em que a civilização lhe corta as asas de vez: "Não, com essa pessoa não dá para negociar, vamos tirá-la de circulação". Vejo que existe aí um elemento interessante porque, da mesma forma que a filosofia desconfia dos afetos, a história e a sociologia também são muito pobres em relação a outras preocupações. Para cada *História da sexualidade* de **Foucault**, temos infinitas produções mais significativas em outras áreas.

Vamos sendo construídos socialmente, socializados de certa maneira para passar a desejar o que está autorizado, e temos a impressão de que aquele desejo que se manifesta aos 30 anos de idade é fruto da nossa mais genuína natureza desejante.

Pondé – Acredito que, no momento moderno, em que a sociedade europeia e seus descendentes se organizam em torno de uma racionalidade burguesa – eficácia, objetividade, harmonia do dinheiro, instrumentalização – uma chave de ordenamento dos afetos é dizer que aqueles que deveriam ser desorganizadores também fazem bem. Por exemplo, no mundo corporativo, é poder chutar uma almofada numa sala branca, decorada com uma fonte de água. Ou seja, é poder quebrar a harmonia daquele ambiente. Tenho a impressão de que, em nossa experiência moderna e contemporânea, há quase uma aposta na ideia de que, se superamos a paranoia cristã do pecado, é porque o homem é bom. E tudo nele que for sombra, se for justamente cuidado, também será bom. Não penso que os afetos sejam sempre negativos, mas sim que eles tratam um pouco dessa área que é, no homem, o resto daquilo que não é passível de ser tornado plenamente ordenado. Quando você falava no ordenamento político e social dos afetos, Clóvis, lembrei de um filme que vi, *Casamento de verdade*, que conta a história de uma moça *gay* de família de classe média baixa, com dois irmãos e pais bastante infelizes. A mãe passou a vida inteira cuidando dos filhos; o pai, em torno dos 70 anos, não tem grandes expectativas no trabalho. A irmã é casada com um sujeito insuportável; o irmão é um tanto distante da família, como é mais comum com os filhos homens. Já a personagem principal da história vive há cinco anos com uma colega de trabalho. No momento em que se assume como *gay*, isso causa espanto no bairro, no trabalho do pai, com pessoas julgando: "Que feio!". Mas o fato acaba recolocando toda a família diante de suas mentiras afetivas. A irmã da protagonista ganha coragem para mandar o traste do marido embora de casa, por exemplo. É uma espécie de movimento disruptivo que, normalmente, o afeto, seja homoafetivo, seja qual for, traz. O interessante nesse filme é que, no final, o grande problema é que a menina e a namorada querem casar as duas vestidas de noiva numa igreja, com a presença dos pais. Querem que o pai de cada uma as leve para o altar. Alguns americanos brincam dizendo que os *gays* hoje querem tudo aquilo de que os heterossexuais já estão cansados, a começar pelo casamento... E esse filme traz um olhar sobre o tema que revela que a normalização do homoerotismo no mundo contemporâneo é fruto da descoberta do *marketing* americano de que os *gays* têm dinheiro. E quem tem dinheiro tem direitos. A última cena mostra as duas moças de branco, dançando valsa, como manda o figurino. E o pai e a mãe da personagem principal se abraçam, como num reencontro, que se deu graças à coragem de a filha se assumir como *gay*. Essa atitude dela reorganiza a verdade dos seus familiares diante do próprio afeto – para casar de branco na igreja e ter os pais, porém. Ou seja, o próximo passo seria a adoção de filhos, frequentar a reunião de pais e mestres, comprar uma casa própria e, depois, a crise do casal. É por isso que alguns críticos mais radicais dizem que a revolução *gay* quer um *shopping* para chamar de seu. Isto é, temos hoje, em relação à leitura política do homoerotismo, toda uma idealização de que ele traz certo tipo de comportamento, mas o curioso é que, na verdade – e acho que isso é típico da nossa experiência contemporânea –, a intenção de quem pratica o afeto desautorizado é que ele seja autorizado. Que, se quiserem, duas mulheres possam se casar de branco; que dois homens possam se casar de terno ou um deles de branco; que possam adotar filhos; que possam frequentar a reunião de pais e mestres; que possam ir ao jantar de Natal na casa da avó... Ora, isso reproduz a estrutura conservadora. Por isso, acho a discussão do homoerotismo antiga, não no sentido do preconceito e do sofrimento, mas em sua visão da estrutura social contemporânea. Pois o preconceito ainda existe, não há dúvidas disso. Se reunirmos um grupo apenas de heterossexuais, certamente, o preconceito em relação aos *gays* em algum momento vai aparecer, nas piadas, nos comentários, nas avaliações...

Para mim, a expectativa de que exista, de fato, uma revolução dos afetos, no caso *gay* ou em qualquer outro, é uma das maiores mentiras já contadas. Tenho uma série de desconfianças em relação ao paradigma revolucionário, pois, no fim, o que se deseja é a normalização dos afetos e a diminuição

> **Tenho uma série de desconfianças em relação ao paradigma revolucionário, pois, no fim, o que se deseja é a normalização dos afetos e a diminuição do sofrimento dentro do sistema social.**

do sofrimento dentro do sistema social. E o capitalismo, com sua vocação natural de permitir tudo, menos a inadimplência, vai autorizando todo tipo de comportamento. No caso da comunidade *gay*, o Estado se dá conta de que existe ali um grande nicho de mercado, pois, repito, ela tem bom poder aquisitivo, especialmente porque os homossexuais, antes, não tinham filhos. E o segredo para não ficar pobre é não ter filhos! Somam-se a isso as dificuldades de socialização, o que também ajuda a não gastar dinheiro, e o foco nos estudos e na atuação profissional, justamente pela contenção da sociabilidade. Assim, a sociedade americana, lá pelos anos 1960 e 1970, passa a enxergar na comunidade *gay* um filé *mignon* de consumo.

Outro ponto bem interessante que destaco em sua fala, Clóvis, é o tratamento pós-moderno aos afetos. Seja no discurso de Maffesoli, também do Bauman, que vejo como um pós-moderno deprimido, nostálgico; seja no discurso de Vattimo, ou mesmo de **Deleuze**, que é anterior a esses outros nomes – e aí separo, *grosso modo*, pós-modernos alegres de pós-modernos tristes, como alguns fazem –, continuo com a impressão de que o pensamento pós-moderno, em seu viés de estudos culturais, por exemplo, vai autorizando certas sensibilidades próximas de afetos, certas formas de construção de hábitos de afeto, para resguardar a integridade da cultura. Por exemplo, não se pode interferir no caso dos paquistaneses que mandam as filhas da Inglaterra para o Paquistão para casar-se com homens 30 anos mais velhos que elas, que nunca viram, pois isso seria desrespeitar a cultura, ser preconceituoso. Não se pode achar um abuso mandar uma menina de 10 anos casar com um sujeito de 40 no Paquistão, porque isso é um direito daquela cultura. Esse multiculturalismo vai além da descrição relativista da diferença; ele localiza a relatividade das sensibilidades para produzir leis e regras que a garantam.

Mais um exemplo, que não é relativo ao pensamento pós-moderno em seu sentido filosófico, mas sim histórico, pois continua atual: no mundo corporativo, vejo que os afetos são tratados como dínamos para a produção. E produção gera consumo, garante empregos, o que faz a máquina capitalista girar. Ora, sabemos que quem está deprimido acaba trabalhando menos. É por isso que, hoje, com cada vez mais jovens nas empresas, são feitos verdadeiros rituais xamânicos de berrar e gritar para fazer com que eles se sintam motivados. Penso que o grande fracasso de toda crítica ao capitalismo é porque, em primeiro lugar, ela ganha dinheiro com livros que falam mal desse sistema; em segundo lugar, quem é a favor, por exemplo, de que as empregadas domésticas recebam FGTS, demite a sua assim que fica caro. Na prática, a esquerda é uma espécie de fetiche do capitalismo. É um universo de pensamento que parece preservar certa honestidade de crítica política e econômica, mas, na verdade, porque não há como escapar a isso, a esquerda funciona como um nicho de mercado dentro do próprio mercado. No mundo corporativo, os afetos são um elemento para produzir motivação, positividade, para enfrentar os novos paradigmas e ser construtivo nas crises. Temos aí, portanto, uma espécie de domesticação dos afetos. E a minha hipótese é que eles são um problema. No caso mesmo da tradição cristã, que, de certa forma, é parecida com a platônica, o princípio do amor só pode ser o bem, porque é abundante, generoso... Disso, decorre a afirmação de que Deus é amor. Há toda uma beleza nessa tese de que o princípio é bom, generoso, que é melhor do que a simples ideia de que o outro goste de nós, então lhe somos agradáveis no sentido metafísico de Platão e, depois, do cristianismo. Esse tratamento do amor no sentido quase cosmológico, e também social, que sem dúvida nenhuma faz parte do entendimento desse afeto, é semelhante ao de Espinosa. Além de poder estar amando uma pessoa e ter causas erradas para isso, **Pascal** dizia, no século XVII, que não se ama uma pessoa pela enumeração das causas pelas quais se deve amá-la. Isto é, às vezes amamos uma pessoa justamente por causas que não seriam aquelas para amarmos alguém. Portanto, o afeto continua sendo um elemento que entra na máquina e a desordena. E todos que participam desse sofrimento do afeto querem ordená-lo, vide o caso dos *gays* de que eu falava antes. Porque é insuportável estar do lado de fora. Não só no caso dos *gays*, mas de qualquer pessoa que, por exemplo, ame alguém fora do casamento. Ela não quer terminar o casamento, por isso fica nesse movimento pendular entre duas pessoas. Mas, para regularizar o que é irregular, terá de destruir o que está aqui para depois trazer para esse lado o que está ali. Então, a minha impressão é que, para fazer o tratamento do afeto, do *pathos* e do amor romântico dentro desse contexto, se faz necessário trair a postura *inteligentinha* que acha que estamos "progredindo" nos afetos. Por exemplo, amor de pai e mãe pelo filho. Hoje, há muitos casais com apenas um filho, porque é caro, preferem priorizar a carreira etc. E eles projetam várias expectativas em cima daquele filho, que enlouquece. E eles chamam isso de amor... De repente, até é! Aqui, voltamos à história da banana de que você falou no começo, Clóvis. Chama-se amor, mas é uma série de coisas. Enfim, vejo que, na pós-modernidade, existe esse uso produtivo do afeto. Já em Platão, é possível identificar uma tentativa de mostrar, de alguma forma, que o amor é produtivo. Mas precisa ser o amor certo. No caso cristão, é o amor que dá a outra face. Não pode ser o afeto que nos torna obcecados por algo.

Como proporia o Agostinho das Confissões:

Tarde te amei, beleza tão antiga e tão nova! Quase tarde demais eu te amei!

Habitavas dentro de mim e eu te procurava longe, do lado de fora.

Eu, volúpia, lançava-me sobre falsos tus das tuas criaturas. Estavas comigo, mas eu não estava contigo. Retinham-me longe de ti as tuas criaturas, que não existiriam se em ti não existissem.

Tu me chamaste, e o teu grito rompeu minha surdez. Fulguraste e brilhaste e tua luz afugentou minha cegueira. Espargiste tua fragrância e, respirando-a, suspirei por ti.

Eu te saboreei, e agora tenho fome e sede de ti. Me tocaste, e agora estou ardendo do desejo da tua paz.

Clóvis de Barros Filho

"Metade da laranja": A idealização do amor

Pondé – Acho que o afeto na pós-modernidade volta a um certo cerceamento, seja no caso motivacional, corporativo, seja na visão de Bauman, que entende que os afetos foram capturados na lógica de mercado. E, na medida em que isso acontece, os afetos que sentimos não são nossos, mas veiculados pela vigilância líquida de toda a rede de produtos que nos lança dentro deles. Se pensarmos numa vida em que se tenha mais tempo para afetos, de repente, amaríamos melhor? Um homem que trabalhasse menos respeitaria mais a sua mulher? Uma mulher que se dedicasse aos filhos não se encantaria por um homem fora do casamento? Ou o contrário: uma mulher que tivesse uma vida ativa profissionalmente não se apaixonaria por alguém no trabalho? Acredito que continuamos nos iludindo – e a modernidade transformou isso numa ciência – com a ideia de que vamos encontrar uma compreensão dos afetos para, finalmente, lhes tirar aquilo que têm de bom. Para mim, aqui no Brasil, especificamente, quem melhor entendeu os afetos foi **Nelson Rodrigues**. Acho que ele teve a apreensão sobre o tema de um modo menos idealizado, menos "civilizado". E, mesmo se recupero a ideia de que se os afetos forem reintroduzidos na vida, se eles não forem instrumentalizados e se forem usados para o bem, então teremos uma vida equilibrada entre razão e afeto, isso ainda será uma bobagem moderninha. Uma pessoa que é equilibrada entre razão e afeto não vai acordar um dia e se perguntar: "Afinal, o que estou fazendo da minha vida? Por que trabalho? Por que estou neste casamento?". O exemplo capital disso é a filmografia escandinava. Tudo funciona na Suécia, na Dinamarca... Todos são civilizados, se respeitam, não existe diferença de gêneros. É o mundo da humanidade que deu certo. Inclusive, segundo as definições da ONU – embora eu não a leve a sério em absolutamente nada –, a Dinamarca é o país mais feliz do mundo. As crianças dinamarquesas, portanto, são as mais felizes. No entanto, acredito que um dos motivos para isso é que são poucas, então os pais lhes dão tudo e elas, aparentemente, são felizes. E quanto menos crianças houver, menos problemas a sociedade vai ter, porque elas fazem bagunça, sujam, estressam os pais... Mas a vida afetiva nos filmes escandinavos é um escândalo! De Bergman até hoje, é a filmografia mais consistente sobre o caráter incontrolável da vida afetiva: se está tudo bem de um lado, adoece do outro; quando se arruma aqui, estoura ali. Grande parte desses filmes acontece em festas de batizado, de aniversário, de casamento, justamente porque representam a estrutura da organização do afeto. E o cinema escandinavo trai essa ideia. Trai mostrando as sombras, aquilo que não funciona, aquilo que faz as pessoas infelizes, que as faz chorar em silêncio... Tudo parece ser muito bonito, mas no fundo está todo mundo desesperado, perdido. Quando digo que os antigos pelo menos tinham mais reverência pelos afetos, é no sentido de que eles sabiam que estavam lidando com algo com que não se brinca. O medo da filosofia dos afetos é justificado, talvez, em elementos até evolucionários: compreender os afetos é entender que a razão é insuficiente e que temos sombras que nos compõem. Por isso, é como se a filosofia quisesse regrar os afetos: eles podem existir, mas só um pouco, só aqui. Porque, quando eles se apresentam de forma não organizada, desorientam a vida. Aliás, a filmografia escandinava trata de um tipo de desordenamento da estrutura do afeto que não faz sentido para nós, brasileiros. Não sei se você concorda, Clóvis, mas penso que nunca chegaríamos a ser escandinavos, porque temos, aqui, outra estrutura cultural, psicológica... Nós temos uma desconfiança latina em relação à ordem. Achamos estranho que alguém seja tão certinho. Podemos até imaginar que ele tenha algum problema, que seja doido. Existe ali uma estrutura de ordenamento de civilização que, para nós, é muito difícil de alcançar. Talvez algumas pessoas ricas, de classe média alta, consigam assimilar o que seja uma vida tão segura. Mas, de modo geral, estamos o tempo todo preocupados com problemas que, aparentemente, a Escandinávia já superou, até por conta de seu tamanho populacional, comparada ao Brasil.

> **Compreender os afetos é entender que a razão é insuficiente e que temos sombras que nos compõem.**

No cinema americano, existe uma crise clara dos investimentos afetivos no sentido romântico, especificamente. Investir em super-heróis tem trazido mais dinheiro a Hollywood. Existe até uma expressão americana, *men on strike* – homens em greve –, que se refere àqueles, na faixa de 25 a 45 anos, que estão se retirando do investimento afetivo nas mulheres. Não que eles não continuem fazendo sexo. Mas sexo é barato, fácil e acaba. O problema é justamente o investimento afetivo com todas as suas confusões. **Denis de Rougemont**, que escreve *História do amor no Ocidente* em 1939, culpa o cinema americano de ter criado uma neurose com a ideia de que todo mundo ama, algo que nem os medievais trouxeram. Ao contrário, eles diziam que o amor era uma doença da qual deveríamos fugir, pois acabaria com a nossa vida. Mas o cinema americano transforma isso em "cada casa, cada amor". Cada casa é cada casal. A estrutura desses filmes é basicamente a seguinte: o homem não dá valor ao amor, é um mentiroso, só pensa em trabalho e em transar com todas as mulheres. Ele conhece a mocinha, mas continua agindo assim. Um dia, ela descobre que ele está mentindo. Temos, então, uma cena de chuva ao longo do rio. O homem aparece bebendo, pois se sente um idiota; a mocinha chora, sofrendo. Ele pede desculpas, fala que nunca mais vai mentir e tudo fica bem. Pode acontecer o contrário também – fruto da emancipação feminina –, mas é mais raro, quando a mulher é a mentirosa da história e só pensa na carreira, até que conhece um cara romântico. É o caso do filme *O diabo veste Prada*. Anne Hathaway faz o papel dessa mulher que só quer trabalhar, que quer ser como a personagem de Meryl Streep, figura poderosa do mundo da moda. E acaba traindo o namorado, um rapaz romântico, que a ama, com um cara bonitão e rico num evento de trabalho. O cinema americano, na verdade, retira da narrativa romântica medieval e dos séculos XVIII e XIX a estrutura do sofrimento, do conflito de virtude moral. Inclusive, **Octavio Paz** dizia que o conflito entre virtude e desejo era a alma da narrativa medieval. Deve-se, então, tomar cuidado com o amor romântico – que uso aqui como exemplo do problema dos afetos – porque, na maior parte das vezes, ele surge onde não deve, criando tensão, pois é difícil de ser normalizado.

O cinema americano nos vende a ideia do amor e do afeto como solução: basta amar e não mentir, que seremos felizes. Já no cinema escandinavo, a pessoa passa a vida sofrendo, porque não consegue casar com quem ama. Mas isso, na verdade, é uma fixação, uma obsessão. Os psicanalistas, inclusive, consideram o amor romântico uma das doenças da mania. Os medievais já diziam que o amor era uma doença do pensamento.

Clóvis – Aristófanes propõe uma alegoria na qual seríamos mais ou menos o dobro do que somos hoje: arredondados e muito velozes, porque teríamos quatro pernas, quatro braços, dois rostos e dois sexos. E haveria aí um estado, uma existência muito adequada e, por que não dizer, feliz. Mas essas bolotinhas resolveram bisbilhotar a vida dos deuses e, para conseguir isso, subiram umas nas outras até chegar por cima das nuvens, no Olimpo. Os deuses não gostaram muito dessa iniciativa e decidiram castigar as bolotinhas abelhudas. Não havia um consenso sobre qual castigo lhes impor, até que perceberam que as bolotinhas tinham salvação porque, afinal, elas os cultuavam, construíam templos etc. Resolveram, então, não as eliminar de vez, mas cortá-las ao meio. Assim, teríamos assumido a forma que somos hoje, só que amputados. Amputados de uma metade que, originalmente, compunha conosco uma unidade. E passaríamos a ir atrás daquela parte amputada, sem a qual a existência seria cheia de sofrimento.

Essa história nos remete à ideia de que o amor é, justamente, o momento em que conseguimos restabelecer uma unidade primária e fundamental, com uma metade faltante, amputada em algum momento. Isso nos faz pensar na existência de alguém muito especial, porque a metade faltante é específica, e não qualquer uma. Passaríamos a vida atrás dessa metade... As experiências fracassadas indicariam tentativas de acoplamento com metades falsas. E o amor seria, finalmente, o encontro e a reunião com a metade genuinamente amputada no passado. Quando isso acontecesse, esse amor se tornaria, portanto, eterno. Essa é uma reunião que nos remete à ideia do "para sempre", um amor único porque, como só existiria uma metade amputada, todas as outras tentativas fracassadas de acoplamento seriam falsos amores. Portanto, a expressão "o amor da minha vida" é indicativo da existência de alguém com valor afetivo superior aos demais, que seria uma espécie de verdadeiro complemento de mim mesmo. Essa ideia de amor nos remete à existência de dois em um. Isto é, formaríamos com o nosso amor uma unidade. Essa história, que ainda pode ser encontrada no discurso dos apaixonados, nos traz alguns elementos importantes de reflexão. O curioso é que, para mim, de novo, esse amor a que se refere Aristófanes é desmentido por muitas experiências que possamos fazer. Sinceramente, a ideia de que exista um único amor na vida e o restante seja uma espécie de erro afetivo não parece coincidir com nada do que eu tenha vivido. Ou a ideia de que um amor seja para sempre enquanto os falsos sejam provisórios. Mais absurdo é supor que, no amor, dois se tornam um. Pois, mesmo quando damos causa ao orgasmo do outro, ou mesmo quando ele acontece simultaneamente, ainda assim, é preciso que haja dois. Portanto, a ideia de dois em um me parece a mais alucinada. Mas tudo isso entra na discussão do chamado amor-apego, denunciado como mal ou doença por muitos, mas também aplaudido por tantos outros. Eu, no olhar que é só o meu, sempre achei isto: o amor-apego é uma desgraça mesmo, que nos traz infinitos problemas existenciais, porém, a vida sem ele corre o risco de ser insossa, indiferente e, consequentemente, pior. Acho que existe aí uma questão interessante para resolver esse problema. Quer dizer, você ser conclamado a desapegar... Afinal, se o objeto do seu amor está em trânsito e vai morrer, é possível que você sofra... Se ele deixa de ser a cada segundo, é possível que você sofra a cada segundo se tiver apego e, portanto, alguma expectativa de algo que permaneça. Ou então, de fato, você encontra alguma coisa que permanece no objeto do seu amor, o que exigiria um amor por alguma imaterialidade blindada ao trânsito e aos fluxos da vida. E aí, é claro, no fim, só nos resta mesmo uma saída, que o pensamento cristão consagrou num discurso de salvação: podemos nos apegar o quanto quisermos, porque vamos todos nos reencontrar logo mais. Daqui a pouco, estaremos todos mortos e nos reencontraremos numa dimensão onde finalmente teremos aquela eternidade, aquela unicidade com os entes queridos, com tudo o mais. Esse é um discurso que tenta nos trazer algum unguento ao medo da morte. E é um discurso de salvação que nos remete a um amor que pode ser mais à vontade já que, no fim, estaremos todos juntos outra vez. Eu me lembro de um parente meu, filho de um cunhado, que viveu apenas um ano e meio. E me pediram para falar algumas palavras na missa de sétimo dia. Na ocasião, o sacerdote me advertiu de que não havia nenhuma razão para tristeza, já que, logo mais, esse problema, esse mal-estar da morte estaria resolvido. Uma vez que fui advertido, tive de dizer as razões pelas quais eu reivindicava o direito à tristeza. E uma delas é que eu lamentava toda vida não vivida. Por mais que me digam que haverá uma eternidade fora daqui, não acredito que isso compensa a perda da vida por aqui: os hambúrgueres não comidos, as faculdades não cursadas, as mulheres não beijadas e tudo aquilo que foi impedido de acontecer e, portanto, não há outro remédio senão lamentar e se entristecer. É interessante observar que estamos, o tempo todo, sendo convidados a nos posicionar diante do apego pelo apego ou de uma espécie de ideologia do desapego que não para de nos advertir que, quando existe apego, estamos condenados a sofrer. Ora, essa condenação ao sofrimento diante do apego é uma constatação muito fácil. E eu diria mais: quanto mais conhecermos uma pessoa, quanto maior for, digamos, a sutileza afetiva daquele vínculo afetivo, mais dramático será o flagrante do deixar de ser, o flagrante do trânsito. E, assim, a percepção de que o nosso amor, o nosso amado escapa pelos dedos, ela é tanto mais clara quanto maior for o nosso envolvimento e a nossa lucidez. No fim, a alegoria de Aristófanes, que vai ser duramente criticada por Platão na sequência d'*O banquete* com o discurso de Agatão e Sócrates – Platão odiava Aristófanes e, portanto, lhe deu o pior dos discursos que podia imaginar, embora, curiosamente, sua herança filosófica seja, no mínimo, tão profícua quanto a dos queridinhos do escritor – está por trás de muitas das ideias que ainda se faz sobre o amor.

Pondé – "Tampa da panela", "alma gêmea"...

Clóvis – Exatamente. "Anel e dedo", "metade da laranja" e tantas outras formas de expressar essa especificidade que justificaria um afeto com as características que acabei de apontar. Lembro que, quando meu filho era mais jovem, ele ia para as baladas e voltava se vangloriando de ter beijado 30 ou 40 bocas naquela noite. Ele atribuía a si mesmo uma competência tal que colocava em evidência o verbo "ficar"... Esse verbo é engraçado, porque indica algum tipo de permanência. Quando dizemos: "Fiquei em casa", isso mostra que houve certa estabilidade. E o verbo "ficar" no seu sentido segundo é, justamente, indicativo da não permanência dos afetos ou da rapidez com que eles transitam. O verbo "ficar" indica uma espécie de autorização ética de que devemos, a rigor, submeter a nossa conduta aos apetites do instante. Então, se uma pessoa está com vontade de beijar outra, beija. E, se porventura, estiver a fim de beijar somente aquela pessoa, fará isso. Mas não porque tenha tido algum tipo de compromisso, mas simplesmente porque está regida pelos valores do sul, como diz Maffesoli. Pode ser uma boca só, pode não ser nenhuma, podem ser 40... Temos aí uma prática que é o contraponto da alegoria de Aristófanes. Ou uma espécie de consagração da fase desesperada de Aristófanes, de ir atrás daquilo que é o Eldorado afetivo: uma pessoa especial, em detrimento de todas as outras. Enquanto essa pessoa não é encontrada, vão-se fazendo testes cada vez mais rapidamente, até que se possa, finalmente, ser feliz. O amor seria o reencontro entre as duas metades. Mas, repito, Platão não concorda com Aristófanes e, por meio de Sócrates, diz que o amor não é a reunião final, mas justamente o desejo. É, portanto, a busca, o Eros. Se, no discurso de Aristófanes, o amor é o momento da presença, da satisfação, da reunião etc., em Sócrates o amor é marcado pela falta.

A era da desconfiança

Clóvis – Penso que, no mundo contemporâneo, continuamos sob a égide de determinadas premissas que autorizam a manifestação afetiva. Se elas são líquidas ou sólidas, fato é que, cada vez menos, nos autorizamos a expor os nossos afetos, pois isso significaria expor, também, as nossas fragilidades. Por exemplo, os adolescentes hoje não falam mais em namoro, mas em *crush*, *ficante*, *peguete*... Existe toda uma lista de palavras para não deixar chegar ao envolvimento afetivo, de fato. É uma espécie de escalonamento para indicar um controle da situação.

Pondé – Pois, se uma pessoa chamar a outra de amor, vai sofrer.

Clóvis – Existe, claramente, toda uma estratégia de proteção visando fazer crer num determinado domínio das emoções, dos afetos, com vistas a um posicionamento na sociedade. Revelar a própria fragilidade, só no último momento, em desespero de causa! Aparentemente, aquele que se revela apaixonado, apresenta-se como um fraco, um fragilizado.

Cada vez menos, nos autorizamos a expor os nossos afetos, pois isso significaria expor, também, as nossas fragilidades.

Quase um fracassado. Adorno tem uma definição de amor belíssima e que é merecedora de um milhão de análises: "Há amor quando nos sentimos à vontade para revelar as nossas fragilidades tendo certeza de que o amado não se aproveitará disso para revelar as suas forças". Muitas pessoas, ignorantes dessa definição, não têm certeza de que o seu amado não se aproveitará dessa revelação de fragilidade para manifestar a sua força. Por isso, relutam em aceitar essa fragilidade que é a confissão amorosa, e assim vão se protegendo. Tenho a nítida impressão de que a vida, que poderia ser mais intensa e mais dolorida, vai escoando pelos dedos, diante desse tipo de medo muito próprio da nossa contemporaneidade.

Pondé – Belíssima essa visão de Adorno! Considero-a uma das melhores definições da relação entre amor e confiança. De fato, existe a intenção de fazer uma espécie de higiene desse tipo de exposição. Tenho a impressão, às vezes, de que há dois projetos em curso no mundo contemporâneo: um é a eliminação dos filhos – não a eliminação total, mas a redução dramática e a troca por cachorros; o outro é a eliminação dos afetos. Faço uma observação perigosa, mas vejo que falta cada vez mais nos jovens, de modo geral, algo fundamental: a generosidade. E isso não por culpa deles, mas porque lhes foi ensinado que o mundo é uma estrutura de relação entre oprimido e opressor. Foi-lhes ensinado que as estruturas de opressão estão em toda parte. Não quero dizer, com isso, que elas não existam, mas sim que o paradigma da lógica opressor-oprimido, a partir do momento em que operamos no piloto automático, acabou produzindo uma geração muito desconfiada. Por isso, a confissão de afetos é feita em ambientes abstratos, como coletivos de arte – enquanto não tiver dinheiro envolvido, os coletivos nunca vão dar problema. Ou os afetos são direcionados, por exemplo, a crianças refugiadas sírias, durante as férias de verão pagas pelos pais como experiência internacional. Há uma grande desconfiança dos afetos por parte dos mais jovens, nascida não só daquilo que lhes ensinamos, mas da própria estrutura do mundo tal como ele é. O mundo instrumental só pode ser desconfiado, porque trabalha com a ideia de produção, pagamento, inadimplência, resultados... Existe nessa estrutura um ceticismo perverso. N'*O castelo*, de **Kafka**, um dos personagens do livro ensina a importância da dúvida em relação às pessoas e explica por que o histórico do que alguém fez não representa nada. Pois essa pessoa pode ter sido boa até hoje, mas ser má amanhã. Se Kafka usasse a linguagem do mundo corporativo, diria que o bom gestor é aquele que não confia em ninguém. Apesar de confiança não ser fundamental, ao contrário do que se pensa, num certo grau ela é necessária, para que o outro não vire nosso inimigo declarado. Todo mundo sabe que o nosso sistema de produção lida com a ideia de desconfiança o tempo inteiro. E o que o personagem desse livro de Kafka quer nos mostrar é o seguinte: "O que você fez ontem pouco importa, porque não significa que fará o mesmo hoje. E eu, como um bom administrador, devo, inclusive, ajudá-lo a ter consciência disso. Portanto, se eu for um bom gestor, farei com que saiba que ninguém deve confiar em você. Nem você mesmo". Para mim, essa é a maior aula de gestão de colaboradores, como se fala hoje em dia. Se alguém não o ajudar a saber que não é de confiança, você vai cair na ilusão de achar que sim. E aí você vai gerir mal a sua carreira, pois vai confiar no que está fazendo. Não é à toa que Kafka é um dos grandes profetas da catástrofe moderna.

Em relação aos afetos, eu tenho a impressão de que existem dois processos. O primeiro é o de criação de imensa desconfiança, por entender os afetos como ameaça à autonomia – o que, de fato, eles são. Os afetos nos tornam heterônomos. Portanto, não há como ser autônomo, ser dono do próprio nariz, sem ser desconfiado. Veja, com isso não quero parecer um romântico envergonhado. Às vezes, é melhor viver sozinho mesmo, e isso não é uma doença. Não. Eu tenho certeza de que, em determinadas situações, de repente, é melhor estar sozinho. Alguém pode ter vivido casamentos ou um casamento e querer ficar sozinho, seja por achar que um relacionamento não vale a pena, seja por temperamento. Mas, sem querer demonizar a vida *single*, para mim, não há dúvidas de que existe uma postura defensiva da moçada. Muitas meninas dizem, em relação aos meninos:

"São todos machistas, babacas! Tinham de ser hétero mesmo. Só querem beijar, transar...". Ou: "Aquele cara é muito legal. Só pode ser *gay*". Já ouvi várias meninas comentando sobre os homens: "Os melhores são *gays*. Alguns bons, que sobram, já estão casados. O restante é lixo". Ou seja, o mercado de homens heterossexuais, aparentemente, é bastante disputado, e o que sobra não vale nada. Percebo que a dificuldade do mundo contemporâneo com os afetos está associada à busca da emancipação, da autonomia. Busca essa que é determinada pelo próprio capitalismo: temos de ser autônomos para tomar decisões, fazer escolhas, comprar o que desejarmos, ir onde quisermos – ainda que o capitalismo venda a ideia do amor eterno numa propaganda. O capitalismo, assim como a burguesia, é bipolar. Ele não pode confessar plenamente o que é. Se fizer isso, ele provoca medo. Pois vale tudo, contanto, que dê dinheiro. A publicidade, de modo incrível, faz cada vez mais isto: projetar uma imagem de que existe o Mefisto do bem. De que, no fundo, ele não quer lhe fazer mal. De que ele está preocupado, por exemplo, com o amor dos casais, seja hétero ou *gay*.

    O segundo processo que observo no tratamento dos afetos no mundo contemporâneo é a decisão de torná-los objeto da pesquisa neurocientífica. Então, são feitos experimentos em que o cérebro acende quando estamos meditando; fica de determinada cor quando sentimos tesão por alguém; fica de outra cor quando vemos uma pessoa bonita e assim por diante. Acho engraçado como, na discussão específica de experiências místicas, que é um dos temas que trabalho na cadeira de Filosofia da Religião da PUC-SP, algumas pessoas têm verdadeiras ereções com a descoberta de qual área do cérebro acende quando um monge chega ao nirvana. Ora, isso não tem nenhuma importância para a religião. Isso não prova, de forma nenhuma, que o nirvana existe. Não. Isso só mostra que o cérebro acende quando se tem tal experiência. Uma vez um aluno meu, brilhante, depois de assistir a toda uma conferência sobre esse assunto, concluiu: "Bom, hoje aprendemos que o cérebro existe". Essa tentativa de identificar como funciona o cérebro, onde ele acende quando você ama ou quando medita me parece tipicamente o fetiche da ciência de que Adorno fala. Se alguém descobrir a bioquímica que nos faz querer ajudar as pessoas, então, teremos remédios para nos fazer mais generosos. Só que isso traria um outro problema, que já estava no coração do debate romântico sobre os afetos nos séculos XVIII, XIX: se uma pessoa é generosa porque tomou um remédio para isso, ela é, de fato, generosa? Esse é o problema da autenticidade que o romantismo traz para atormentar a nossa vida. E a autenticidade é uma doença também, uma neurose que nos faz passar a vida toda querendo ser autênticos. Desse modo, se existisse um remédio que tornasse as pessoas mais generosas, elas seriam mesmo generosas? Ou apenas seriam generosas por causa do remédio que tomam? O ceticismo grego, no sexto dos dez modos de **Enesidemo**, que lida com a mistura de humores e substâncias como o álcool, já se perguntava: "Se quando bebo, subo na mesa e danço, quem sou eu verdadeiramente? Sou aquele que, quando bebeu, subiu na mesa e dançou? Ou sou, na verdade, aquele que não dança sobre a mesa, mas que teve o estado de espírito alterado pelo álcool? Afinal, quem sou eu? Qual é o meu verdadeiro eu nessa história?". Na verdade, o cético, quando coloca essa pergunta, não tem a intenção de mostrar que o nosso eu verdadeiro é aquele que sobe na mesa quando bebe e, portanto, foi libertado pelo álcool. Nem tampouco aquele que não sobe na mesa quando não bebe e é levado a um desarranjo mental ao beber. O objetivo do cético é dizer que nenhum de nós sabe qual é o seu verdadeiro eu. Isto é, nunca saberemos exatamente qual dos dois lados representa nosso eu verdadeiramente. Mas esse argumento do cético valeria para a indústria farmacêutica caso ela produzisse substâncias que deixassem as pessoas mais generosas? Ou será que, se houvesse um remédio, ele traria um tipo de generosidade verdadeira já que, como diz **Kierkegaard**, só se conhece o amor pelos frutos? A generosidade como efeito de um medicamento seria válida? Nesse caso, não haveria por que se perguntar sobre a veracidade dos afetos, já que ela seria simplesmente bioquímica, portanto passível de ser manipulada. A pergunta que eu faria a uma menina apaixonada é: se o seu namorado só está com você porque ele toma um remédio, esse amor é real?

Clóvis – Poderíamos estender a pergunta: quem copula movido pelo Viagra, está realmente excitado? Podemos estender essa pergunta para tudo o mais, na verdade. Por exemplo, se como uma maçã que me afeta e passo a me manifestar em sua função, afinal, essa manifestação sou eu ou sou eu mais a maçã? É um problema que não tem fim. Precisaríamos estar completamente blindados a tudo para tentar encontrar algo que fosse realmente genuíno. Por isso, se houver um "eu", será um "eu" com Viagra e as pílulas de generosidade. Mas, quero voltar à questão da desconfiança que você trouxe, Pondé.

Niklas Luhmann, sociólogo alemão funcionalista, define o amor como um tipo particular de relação. E, como toda relação, antes de mais nada, ela é uma espécie de redução progressiva da dupla contingência que tem certas características. Explico melhor: imagine que você, leitor, conheça alguém num bar da sua cidade. Esse seria o momento zero da relação, quando o outro ainda é uma possibilidade infinita. Você não faz a menor ideia de como ele vai se apresentar, como age, o que pensa, o que sente... Há, portanto, infinitas possibilidades diante de você. O outro, ali, é só uma contingência, alguém que poderia ser infinitamente diferente do que é. À medida que esse outro vai agindo – isto é, se manifestando, interagindo com outras pessoas, enfim, tudo aquilo que ele revela do ponto de vista de comunicação mesmo – você vai, com base naquele *corpus* de informação, diminuindo a contingência. Você vai circunscrevendo e criando uma grade de probabilidades: "Não, esse sujeito não é do tipo que faria isto, não é do tipo que faria aquilo"... E assim, conforme a relação evolui, você tem de parte a parte uma redução da contingência. Essa relação, como redução progressiva da dupla contingência, de certa maneira, para ser viabilizada, baseia-se na premissa de que as futuras manifestações daquele que interage com você têm alguma coerência com as anteriores. Dentro de outro paradigma de análise, chamaríamos isso de fidelidade. Se perguntarmos por aí o que é fidelidade, dirão que é um namorado ou marido, ou a empresa... Se entendermos fidelidade como uma espécie de respeito ao próprio passado, ao que já vivemos, dissemos ou manifestamos ser, então ela é um alinhamento, uma coerência, algo que não traz ruptura entre a maneira como agiremos agora e tudo o que já fizemos anteriormente. A fidelidade, portanto, conferiria uma espécie de integridade, no sentido mesmo de integral, à sua trajetória. Mas se partirmos da premissa de que mudamos a cada segundo – e mudamos mesmo: as células vão em mitoses e meioses se transformando, as ideias vão passando, os afetos também –, então nada permaneceria. Teríamos de nos reapresentar a cada segundo, dado que seríamos diferentes do que somos. É até por essa razão que acabamos morrendo. Se permanecêssemos de um segundo para o outro em alguma coisa, talvez não morrêssemos nunca. A finitude exige justamente a finitude instante a instante. Ora, ninguém se apresenta a cada segundo. Por isso, há uma espécie de compromisso, de acordo, de pacto, mesmo que iludido, de que algo permanece por detrás do trânsito do fluxo da matéria, do fluxo das ideias. É claro que essa crença nas permanências exige das relações algum tipo de fidelidade ou de respeito a si mesmo. Em outras palavras, se alguém disse algo lá atrás, ainda vale hoje. Caso contrário, seria a falência definitiva das relações. Só para que isso fique mais claro: eu me chamo Clóvis há 51 anos e não parei de mudar em todo esse tempo. Perceba como eu ofereço alguma garantia social de estabilidade que está por trás da minha identidade e que, de certa forma, é desmentida pelo deixar de ser ininterrupto do mundo da vida.

A fidelidade é, portanto, a matéria-prima da confiança. Isso se, com **Tomás de Aquino**, entendermos a confiança como uma espécie de certeza a respeito do que não podemos verificar, pois não sabemos como o outro vai agir amanhã. Por exemplo, se contratamos alguém hoje para trabalhar amanhã, precisamos ter confiança porque não é possível verificar o que ele vai fazer no dia seguinte. Ou se contratamos uma pessoa para trabalhar num lugar onde não estamos. Todo lugar fora da nossa capacidade de verificação e de demonstração exige de nós confiança. Ora, qual é a matéria-prima dessa confiança a respeito do comportamento do outro senão algum tipo de fidelidade e de respeito a si mesmo, algum tipo de respeito a princípios éticos, valores ou o que quer que autorize antecipar algum tipo de comportamento vindouro? Isso é o que torna as relações mais ou menos possíveis. De onde adviria, então, a desconfiança generalizada do mundo pós-moderno? Isso é fácil de demonstrar. A minha avó morava na rua Manoel da Nóbrega e me mandava comprar pão e leite na avenida Brigadeiro Luís Antônio, na esquina com a alameda Lorena. Eu, com nove anos, ia a pé, sem dinheiro. Hoje, ali, virou um mercado grande, onde eu não posso mais ir sem dinheiro, sinal de que já houve mais confiança do que há. Isso significa que algo gerou a desconfiança: alguém que não voltou para pagar pela compra ou algum padeiro que marcou mais do que foi efetivamente consumido. Coloca-se, então, uma plaquinha – que já nem é mais necessária – onde se lê: "Não aceitamos fiado". Ou seja, "desconfiamos de você". Aliás, nem mesmo o dinheiro é merecedor de confiança mais! É preciso colocar uma nota de 50 reais contra o sol para conferir se ela é verdadeira. Portanto, de certa maneira, nós costuramos uma sociedade marcada por relações de desconfiança em função de algum tipo de infidelidade. Ninguém tirou a desconfiança do nada. E ninguém tira confiança do nada também, senão de uma constatação de que o passado legitima o presente e autoriza certas previsões sobre o que vai acontecer. Se, hoje, nos negamos a revelar os nossos afetos, em grande medida, é por termos uma exata dimensão do tipo de relação desconfiada em que estamos inseridos. Fomos fabricando uma sociedade da desconfiança, na qual a confissão e a aceitação social – e por que não dizer também íntima – dos afetos se veem problematizadas por uma certeza: não conseguiremos revelar a nossa fragilidade sem que se aproveitem dela para manifestar suas forças, retomando Adorno. Em outras palavras, cada vez mais é temerário admitir uma heteronomia, como nos entristecer caso a outra pessoa não esteja ao nosso lado, porque isso é uma revelação de fragilidade impressionante. Porque isso dá ao outro a condição de decidir se vai ficar ao nosso lado ou não. Se ele não ficar, vamos nos entristecer, minguar, diminuir como pessoa, enfim, teremos menos potência para viver. A presença dele é, assim, decisiva para a boa continuidade da nossa vida ou para nossa vida feliz. Ora, isso é entregar nas mãos do outro uma chave preciosa.

É fragilizador. Assim, nos protegemos como conseguimos. E, embora saibamos que seja mentira, dizemos ao outro: "A sua presença pouco afeta a minha vida". Em outras palavras, "contigo ou *sentigo* continuarei bem". Negamos realidades afetivas por conta de um contexto – que eu chamaria de ético mesmo – de dúvidas sobre o destino, o devir de alguém que admite tamanha fragilidade numa sociedade atravessada pela desconfiança como é a nossa.

"Na moral": O conceito de amor prático

Clóvis – Penso muito nisto: a confiança não é um problema ético. Aquele que coloca a confiança como valor ético não entendeu que ela é um resultado mecânico de um problema subjacente que é a fidelidade. Em outras palavras, o que podemos ter é uma confiança de princípio, sem a qual a interação seria impossível. Veja, sou professor aposentado e hoje dou palestras no mundo corporativo. Imagine se alguém duvidasse: "De jeito nenhum! Você não é professor, nem palestrante, nem nada. Não acredito em nada do que você falou". A desconfiança levada a sua radicalização inviabiliza completamente as relações. Por exemplo, se entramos num avião, não vamos verificar a turbina nem pedir o brevê do piloto. Existe aí uma confiança de princípio que, se minada, como está em vias de acontecer, tornará a convivência insuportável. Sendo assim, nesse cenário de desconfiança progressiva, eu diria que não é só a filosofia que tem medo dos afetos; somos nós que temos medo deles. Mas temos medo dos afetos, antes de mais nada, porque temos medo do outro. Temos medo do amado, do amante. Temos medo daqueles que materializam conosco os nossos afetos.

Pondé – Eu tenho a impressão de que isso que você descreve é uma desconfiança científica. É claro que temos que confiar no piloto do avião. Isso passa por toda uma discussão da noção de credibilidade e imagem de marca. Isto é, se caírem muitos aviões de uma determinada empresa, paramos de voar com ela. Fazemos um cálculo de imagem dessa marca. Mas, de modo geral, quando uma pessoa entra num avião, ainda que faça isso com medo, ela confia no piloto, no mecânico, na aeromoça etc. Temos, inclusive, autores que descrevem o sucesso do capitalismo como uma sociedade baseada na confiança. Essa é uma ideia muito forte.

Clóvis – Mas essa confiança vem de onde?

Pondé – Ela vai sendo construída.

Clóvis – Exatamente. Nós nos ancoramos em experiências anteriores e numa espécie de presunção de fidelidade de todos os envolvidos. Por que vou à Padaria Aracaju desde que nasci? Porque, lá, o pão é mais ou menos o mesmo todos os dias. Se resolvessem inovar e me dessem uma pílula no lugar do pão, dizendo que ela contém os mesmos nutrientes, eu não voltaria mais ali. Existe, portanto, em toda inovação, uma infidelidade possível. A partir do momento em que só pensamos em fazer diferente e acreditamos que o novo é, por ruptura, uma espécie de ganho de valor em relação ao antigo e que, portanto, aquele que não inova ininterruptamente está fora do jogo, chancelamos, de maneira generalizada e definitiva, uma sociedade que autoriza a infidelidade. Na verdade, muito do nosso comportamento em sociedade e em interação presume a não inovação, isto é, a conservação. Presume que as pessoas façam o que fizeram outras vezes. Quando uma sociedade autoriza ou aceita de maneira impune que as pessoas sejam infiéis a si mesmas e se desmintam e rompam com o próprio passado, ela está, de certa forma, aceitando que passemos a desconfiar uns dos outros de modo cada vez mais acelerado. Ora, isso pode levar a um colapso definitivo das relações.

Pondé – Essa é a sociedade da judicialização de todos os vínculos.

Clóvis – Sim! Imagine se você, Pondé, contasse sua trajetória como professor a seus alunos e um deles lhe questionasse, tal como aquele personagem da *Escolinha do Professor Raimundo*, vivido pelo Francisco Milani: "Há controvérsias. Eu quero provas. Tem? Não tem. Então, não me venha com chorumelas". Isso é o mesmo que dizer: "Não acredito em você. Não confio em você". Vejo que a maneira como as pessoas demonstram o seu afeto umas para as outras está profundamente atravessada por essa ideia da desconfiança da nossa sociedade. A moça, por exemplo, vai encontrar o namorado com medo de revelar o que sente, portanto, encena um desinteresse para se proteger, para que o rapaz não se aproveite dela. Porque, no fundo, ela não confia em ninguém. Acho estranha essa felicidade amorosa em que temos que negar o tempo inteiro o que sentimos em nome de não ser agredidos afetivamente por quem se aproveitaria disso que é uma fragilidade.

Kant tem um conceito de amor prático, que sempre me intrigou. Aliás, eu me coloco diante da filosofia como um torcedor no estádio, pois sou um cara formado em Direito e em Jornalismo. Como eu dava aulas de ética no jornalismo, ética e legislação de imprensa, fui ler o que os filósofos tinham a dizer sobre isso. Por esse motivo, não me aceito como filósofo, mas como observador. Um torcedor chato. Vou ao jogo todo dia. E o conceito de Kant me intriga porque ele trata da ideia de moral, propriamente: já que não ama, faça como se amasse.

Nisso, a herança de Fedro em Kant é bastante óbvia: quem ama tem comportamentos nobres. Em outras palavras, de modo simples, aquele que ama, dá. Atitude-exemplo: como viajo quase todo dia para dar palestras, quase todo dia trago um presente para a minha filha mais nova. Alguém pode pensar: "Puxa, como você é generoso com ela!".

Acho estranha essa felicidade amorosa em que temos que negar o tempo inteiro o que sentimos em nome de não ser agredidos afetivamente por quem se aproveitaria disso que é uma fragilidade.

Não. Eu sou amoroso. Eu dou por amor. Vamos imaginar que eu não a amasse. Mas, que do ponto de vista puramente intelectivo, de decisão moral, eu achasse justo dar a ela um presente – pois a generosidade é uma virtude moral que imita o comportamento de quem ama. Essa é a ideia do amor prático.

Uma coisa é dar por amor e outra, dar sem amar. Quem dá sem amar, faz isso por generosidade. Ou seja, dá "na moral", como se diz. Trago um segundo exemplo: por uma questão de inclinação amorosa, só tenho intimidades sexuais com a minha companheira. Não há, aí, fidelidade nenhuma no sentido convencional da palavra; o que existe é amor. Vamos, agora, imaginar que esse amor acabe, mas como ela sempre foi muito legal, eu seguro a onda e continuo transando só com ela, "na moral", para não a entristecer.

Pondé – Isso é algo bem kantiano.

Clóvis – Exatamente. "Na moral", eu seguro a onda para não fazer algo que considero indevido. Outro exemplo: quem ama está disposto a conviver e a aceitar formas de pensamento, representações de mundo e gostos que não são os seus. A minha companheira adora balé. Eu, pessoalmente, durmo. Não tenho cultura nenhuma nesse segmento. Mas já passei duas ou três horas em fila para comprar o ingresso do balé de que ela gosta e que eu mesmo detesto. O que há aqui não é tolerância com o gosto dela; o que existe é amor. Agora, "na moral", pode haver tolerância. E o que é tolerância? É, mesmo sem nenhum amor, por uma questão moral, respeitar um ponto de vista distinto do seu. Respeitar uma representação de mundo, uma ideologia, uma concepção, um gosto diferente do seu sem amor nenhum, mas "na moral". A tolerância, assim como a generosidade, é uma virtude moral que imita o comportamento de quem ama.

Ora, essa proposta teórica de Kant, essa tese em que as virtudes morais são uma espécie de artificialidade, artifício da razão que busca, no *corpus* do comportamento de quem ama, tendências de conduta e as transforma numa certa lógica racional de razão prática, ela me parece incrivelmente fértil, até para ser destruída. Mas ela é extremamente interessante, porque sugere que, mesmo no ódio entre dois grupos, ainda há a chance da moral. E o que é a moral? É quando, apesar de não termos simpatia pela outra pessoa, de nos sentirmos entristecidos por sua presença, "na moral" nós a ouvimos, respeitamos, acolhemos, enfim, nos relacionamos com ela de maneira digna, já que não somos bichos. Existe, então, essa possibilidade que nos distancia da animalidade no cio e nos coloca numa posição de controle da nossa vida em sociedade. Ora, se entendemos o amor como uma espécie de referência, de espelho mesmo, para quem pretende identificar na razão e na moral como deve agir, está mais do que na hora de fazermos do estudo dos afetos algo prioritário. Pois mesmo Kant, o maior estudioso dos limites da razão do mundo moderno, pela ideia de amor prático, nos diz que o amor tem, digamos, essa relevância moral, que nos remete diretamente a Fedro. Portanto, uma sociedade regida pelo amor dispensaria todo tipo de elucubração moral e ética.

Pondé – Justamente, Kant – um luterano com a concepção de natureza humana que ele tinha – não só vê os limites da razão, como também vê os limites do afeto e do amor. Mas eu queria voltar a um ponto importante: essa desconfiança à qual você fez referência, ao contar sobre quando sua avó o mandava comprar pão, anda par a par com duas coisas que já mencionei *en passant*: a primeira delas é o processo de emancipação individual contemporâneo. Uma pessoa emancipada é alguém que tem de desconfiar das estruturas que querem torná-la não emancipada. É o sujeito que odeia qualquer forma de heteronomia. Não é à toa que Kant é filósofo da emancipação e da maioridade, que ele entende como o momento em que o sujeito se torna capaz de assumir a moral racionalmente de forma autônoma, e não porque alguém o mandou fazer isso. Portanto, o crescimento da emancipação burguesa leva necessariamente à desconfiança. Na estrutura moderna contemporânea da sociedade de mercado, existe uma tensão implícita entre a confiança que você descrevia antes, Clóvis, assentada na experiência do hábito – que é, na verdade, uma confiança dada pela experiência pois, se deu certo, podemos confiar – e a noção de confiança baseada em credibilidade e marca. A emancipação moderna pressupõe que não confiemos em ninguém – acho esse ponto bem importante, porque às vezes não percebemos isso. Quanto mais emancipada a pessoa for, mais ela deve desconfiar. Além disso, é científico desconfiar. A ciência é o método da desconfiança, porque nele, o tempo todo, temos de pôr à prova a hipótese, testá-la e repeti-la. Inclusive, só é científico para **Popper** aquilo que é falseável. O gestor de uma empresa, por exemplo, é um cientista. Porque o método de gestão de negócios é o método científico. E o método científico é o método de gestão de negócios. Portanto, é científico que não se deve confiar nas pessoas. E, num cenário como esse, não há como não pôr em dúvida ou em suspensão o afeto porque, cientificamente, ele é ruim. O afeto, se não estiver em consonância com a busca de produtividade, porá em risco essa mesma produtividade, daí a higienização e a transformação de quem trabalha no mundo corporativo em macacos alegres.

Amor em tempos de redes sociais

Pondé – Existe uma promessa de felicidade no mundo contemporâneo de que, se trabalharmos, se consumirmos, tudo vai dar certo. Mas nunca dá. Sempre existe algum problema. Nesse cenário, é fundamental estudarmos e entendermos as redes sociais – embora pense que, quanto menos atenção dermos a elas do ponto de vista intelectual, melhor. É claro que estou fazendo aqui o que chamamos de uma filosofia de afirmação hiperbólica: alguém exagera um absurdo para sustentar um argumento que não tem exatamente esse nível de intensidade.

> **As pessoas acham que têm direito a tudo, inclusive a ser amadas. Mas ninguém tem direito a absolutamente nada.**

Pois existe conteúdo bom na internet também, mas as redes sociais, de modo geral, são o paraíso da irrelevância, que a invisibilidade e o anonimato permitem. Nisso, elas trazem ressentimento e violência. E o mundo contemporâneo é muito ressentido, porque isso quase se transformou num direito. As pessoas acham que têm direito a tudo, inclusive a ser amadas. Mas ninguém tem direito a absolutamente nada. O direito é uma invenção. Não está escrito em lugar nenhum que temos direito a coisa alguma, mas o respeito, no sentido kantiano, é necessário aos vínculos sociais. Antes de morrer, **Umberto Eco** disse que as redes davam voz aos imbecis. Não penso que seja assim, porém acredito que elas são o espelho de uma humanidade que sempre foi banal e está cada vez mais ressentida, rancorosa, com vínculos extremamente complicados, vida afetiva fracassada. É claro que também existe amor nas redes sociais, não quero demonizá-las. O WhatsApp, por exemplo, pode fazer com que duas pessoas se apaixonem de fato. Pode existir amor nas redes sociais na medida em que duas pessoas se encantam uma com a outra conversando, apesar de, em algum momento, isso ter de deixar o virtual. Não é possível amar uma pessoa só pelo WhatsApp; será necessário se encontrar com ela, para ter uma dimensão concreta, carnal, real. Do contrário, aquilo vai se transformar, simplesmente, num delírio contínuo de frases. Portanto, não acho que seja impossível haver experiências de amor nas redes sociais. Mas, como fenômeno, elas não passam de *marketing*, viralização, relações públicas, um transtorno completo da publicidade porque as redes sociais são quase de graça, logo, todo o modelo de negócios da mídia está em xeque. Ali, é possível mentir, fingir aquilo que não se é. Quando digo que precisamos dar menos importância para elas é justamente no sentido de que são, na verdade, uma ferramenta na qual todo mundo é mídia. Nessa medida, a democracia é o regime que trouxe à tona o fato de que os idiotas são a maioria, como já afirmava Nelson Rodrigues.

    Tive, há algum tempo, a chance de analisar uma pesquisa que mostrava claramente um fato interessante: quanto mais velha a pessoa, mais neurótica é a relação dela com as redes sociais. Os jovens usam as redes mais como ferramenta de trabalho. Portanto, há nisso uma convergência entre o virtual e o real. Já para as pessoas mais velhas, como a vida se tornou sem graça, os fracassos afetivos se elencaram, as redes sociais se transformam num elemento que preenche o vazio de uma vida que não existe. Nesse sentido, essa relação é muito mais neurótica. Poderíamos dizer, então, que as redes sociais representam um elemento maior de alienação à medida que a idade avança. Além disso, por permitirem que a humanidade se encontre muito mais facilmente, de forma anônima e rápida, elas facilitam a polarização no campo das opiniões. É raro discutir com alguém querendo mudar a própria opinião. Nenhuma pessoa discute política, por exemplo, interessada no que o outro pensa. Na verdade, faz isso para convencê-lo da opinião que ela tem. E ela também não ouve para mudar a própria opinião. Isso é uma das grandes falácias do mundo acadêmico. Nunca vi um debate em universidade em que alguém estivesse interessado em mudar de opinião por causa do outro. Isso é uma mentira. Não se debate em universidade para mudar a opinião. E a forma elegante de evitar isso é não fazer debate na universidade. Mas as redes sociais oferecem proteção. Elas dão chance ao ressentimento, à raiva por existir alguém que pensa diferente de nós. A pessoa xinga ali, mas não corre o risco de agressão física. Nas redes sociais, sobram os afetos que fazem parte da vida da humanidade de uma forma supostamente protegida.

Clóvis – Você problematizou o "eu", e agora faço isso com o "te". Quando dizemos para uma pessoa "Eu te amo", a que nos referimos exatamente? É exatamente nesse ponto que acho que o problema pode ser mais bem discutido. Nós nos referimos ao que vemos, ao que o outro diz e sente, ao modo como ele age... O tal do "te" é um universo sem fim e, muitas vezes, de atributos contraditórios. Até porque, dentro da sequência das manifestações de uma pessoa, é muito provável que ela nos alegre e nos entristeça – não ao mesmo tempo, mas na sequência. Portanto, o tal do "eu te amo" tem o que por substrato final? O "te" corresponde a quê? Isso terá levado alguém a dizer que nunca amamos ninguém, mas apenas qualidades. Em outras palavras, por detrás de um "te" sem conteúdo, o que amamos, na verdade, é um discurso, as coxas, a cor dos olhos etc. Ora, podemos ter nas redes sociais o surgimento de relações amorosas. Afinal, existe ali algum tipo de manifestação do outro que pode nos alegrar. Até mesmo com a expectativa de longevidade de relação, que é mais ou menos o que chamamos de amor. De certa forma, isso retoma Espinosa. Isto é, se o outro nos alegrou, vamos encontrá-lo novamente, supondo que ele fará isso mais uma vez. Portanto, há nesse amor uma espécie de ilusão de que o encontro de amanhã terá mais ou menos as mesmas características do de hoje e, com isso, estaremos garantindo um orbital de alegria possível. Na relação de carne e osso, é claro que temos um universo de materialidade maior do que nas redes sociais. Mas continuamos, a rigor, com o mesmo problema: ignorando completamente o objeto do nosso amor. Ou não sabendo exatamente o que estamos amando de fato, porque aquilo ali, a que chamamos pelo nome de alguém, como Maria, por exemplo, é algo que nos escapa por entre os dedos. Pois Maria corresponde a um universo infinito de coisas das mais diversas ordens e que podem, ou não, nos agradar e nos desagradar ao longo do tempo. Cabe, então, a pergunta: já que a impermanência e a inconsistência do amado são tão óbvias, o que nos dá esse lastro? No fim, somos obrigados a aceitar que não é bem o outro que amamos, mas algo que dominamos sobre ele. Ou, se alguém preferir, amamos a representação, a ideia que temos do outro. Porque ela é mais amável, mais confiável. Nesse sentido, não amamos o outro; amamos aquilo que achamos que ele seja. A maior prova disso é que, se o outro se manifestar de uma maneira herética e, digamos, desalinhada com o que pensamos dele, não vamos incorporar essa nova informação e dizer, por exemplo: "Eu te amo porque você é mulherengo". Vamos lutar para conservar o objeto do nosso amor, que é a ideia que temos dele. E lhe apontaremos o dedo, ao que ele poderá nos advertir: "Se você me ama, tem que me amar como sou. E eu não sou como você pensa".

Pondé – Embora existam mulheres capazes de amar um sujeito justamente porque ele é mulherengo. Consultório de análise está cheio disso...

Clóvis – Quando dizemos "eu te amo", nós amamos o que achamos que o outro seja. Porque o que ele é nos escapa. Aliás, isso escapa até mesmo ao outro, do contrário não haveria tanta preocupação com isso. Se ele quiser descobrir quem é, talvez leve a vida toda nessa busca e não chegue a conclusão nenhuma. Imagine nós! Portanto, se amamos alguém, é o que achamos que ele seja. E caso o outro se atreva a desmentir isso, protegeremos o nosso amor de si mesmo. E nos insurgiremos contra ele, mesmo que esteja nos dando mais elementos sobre si para o amarmos ainda mais, se pudéssemos amá-lo verdadeiramente pelo que é. Ora, desse modo, eu penso que o amor, em situações particulares de convivência, nada mais é do que uma forma, entre outras, de produzir mensagens sobre si mesmo. E, de certa maneira, de construir mensagens sobre aqueles que passamos a amar. Em outras palavras, não há diferença entre ir dez vezes ao cinema com alguém e trocar 30 mensagens pelo celular com ele. Nos dois casos, temos um *corpus* de coisas que percebemos no outro e que nos permitiram construir uma ideia sobre ele que passamos a amar. Nos dois casos, a representação que temos do outro poderá estar mais ou menos próxima do que ele seja – se é que é possível definir isso. Mas, por enquanto, ficamos só com o que controlamos, que é aquilo que achamos que o outro seja, que continuará sendo o que amamos. E vamos morrer com o objeto do nosso amor. Se, porventura, ele insistir em destruir essa representação, nós o odiaremos. Fica, então, evidente que o que amávamos não era o outro. Do contrário, refaríamos e aperfeiçoaríamos a nossa ideia sobre ele a cada segundo. E a corrigiríamos também a cada segundo, aumentando, assim, o nosso amor, que seria pelo outro tal como ele fosse. Ora, não é isso que acontece. Temos uma ideia do outro que é o que amamos. Cada vez que ele a desmentir, vamos blindar esse amor, que teima em matar o que tanto amamos. Por isso, não vejo muita distância entre o que acontece nas redes sociais e fora delas. As pessoas mentem tanto no mundo virtual quanto no presencial. Elas tiram fotos mexidas de si mesmas, mas, quando se apresentam para interagir, também estão mexidas pelos cosméticos, pelas maquiagens, pelas deformações próprias. Em outras palavras, a rigor, não há uma diferença essencial entre um tipo de relacionamento e outro. Portanto, acredito que exista amor nas redes sociais do mesmo modo que fora delas. E há ódio também. Muitos pensam que as redes sociais nada mais fazem do que mostrar a realidade da sociedade tal como ela é. Não me parece ser isso, porém. Porque o fato de dispormos de um tipo de técnica que permite que nos manifestemos ensejará uma manifestação adequada a essa técnica, que não ocorreria se ela não existisse.

Pondé – É a invisibilidade que a técnica permite: como ninguém está vendo, nos sentimos em alguma medida protegidos por essa invisibilidade.

Clóvis – McLuhan, teórico da comunicação, dizia que o meio é a mensagem. Em outras palavras, se alguém nos perguntar: "O governo atual é melhor em relação ao governo anterior?", o discurso que vamos elaborar só existirá porque a pergunta foi feita. Do contrário, não o manifestaríamos. Insisto, há manifestações e, portanto, afetos, que não existiriam se não fosse pela técnica que permite isso. O pouco que fui protagonista nas redes sociais, pude observar que havia duas ou três pessoas no mundo que gostavam de mim e manifestavam esse apreço. Em compensação, havia dois ou três sujeitos que, por alguma razão, me odiavam e também demonstravam essa raiva. O que pude concluir é que, mesmo se houvesse milhões a me amar, os dois ou três que me odeiam produzem um estrago que não vale a pena.

Pondé – Aí está o ressentimento... É por isso que eu disse anteriormente que devemos estudar as redes sociais, mas não dar muita importância a elas. Acredito que, na realidade, elas merecem o nosso desapego e, até certa medida, o nosso desprezo. No caso de pessoas públicas como nós, penso que a relação com as redes sociais deve ser unicamente de conteúdo profissional, jamais privado. Pois a ferramenta permite o risco de exacerbar coisas que não existiria caso ela não estivesse presente. As redes sociais, hoje, são como um bordel na Itália do século XIX, onde se pegava sífilis. Eu tive de contratar uma equipe para administrar as minhas redes sociais porque havia pessoas mudando frases minhas, até mesmo postando colunas que nunca escrevi. Até então, eu não levava tão a sério o fato de que precisamos ocupar as redes sociais.

Clóvis – É impressionante como tudo isso pode ser fonte de tristeza. Ter a fala falseada por alguém, que quer nos imputar uma ideia que nunca tivemos, é uma agressão que, muitas vezes, não estamos preparados para suportar. E, se fingirmos indiferença, será cínica. Tenho certeza de que o falseamento que leva uma pessoa a defender teses que nunca defendeu só é possível pela presença da técnica que permite essa possibilidade. O ódio de alguém que nunca vimos e cuja manifestação nunca chegará até nós não nos entristece. Ele é um ódio periférico, afetivamente. Mas a manifestação social desse ódio, que é uma mensagem, uma comunicação que, graças à técnica, chega até nós, têm capacidade de produzir tristezas, assim como os amores produzem alegrias. Nesse sentido, as redes sociais não são um instrumento neutro que apenas viabiliza mais rapidamente interações que aconteceriam de qualquer maneira. Não. As redes sociais são formas de manifestação, de relacionamento e de produção de afeto que inexistiriam se elas não estivessem ali. Isso para o bem, quando a manifestação produz em nós algo positivo, como um aplauso,

As redes sociais são formas de manifestação, de relacionamento e de produção de afeto que inexistiriam se elas não estivessem ali.

um reconhecimento, ou uma crítica para que melhoremos, nos aperfeiçoemos; isso para o mal, quando ela é destrutiva, lesiva, corrosiva etc. É urgente percebermos que as novas condições de interação social não podem ser completamente protegidas pela sociedade porque a técnica permite o anonimato, por exemplo. Se quisermos garantir um mínimo de convivência possível, teremos de investir além da ética como inteligência coletiva protetiva dos relacionamentos; teremos de investir na formação moral mesmo. Naquela formação moral que nos permite, na intimidade da consciência, vislumbrar o que devemos e o que não devemos fazer, com vistas a um bem maior do que o nosso próprio prazer. É aí que reside o problema. A diretora da escola onde minha filha estudava chamou os pais para contar o seguinte: "Eu mandei instalar uma câmera em cada sala de aula, de maneira que agora vocês poderão vigiar o comportamento dos seus filhos pelo celular". Depois, virou para as crianças e as advertiu: "Terão de se comportar agora, porque estão sendo vigiadas até pelo celular". Ora, qualquer pessoa com dois neurônios, rapidamente, a contrário senso, pensa: "Se o meu comportamento está sendo vinculado a uma fiscalização externa a mim, quando ela desaparecer poderei dar vazão aos meus instintos mais selvagens, canalhas etc.". Com essa medida, a escola abre mão da formação em nome de uma técnica repressiva. Só que não há como colocar câmera em todos os lugares – embora estejamos na iminência de andarmos todos com *chips* na canela. Ora, no momento em que deslocamos o nosso bom comportamento para a ética, para a controladoria, para o *compliance*, para os cadastros, para os *chips*, para os radares, para as catracas eletrônicas, para uma fiscalização que nos é externa, abrimos mão de uma possibilidade, que é a de nós mesmos, por meio da nossa própria inteligência, da nossa própria razão prática, identificarmos o que é mais ou menos adequado fazer. Isto é, abrimos mão de um ganho em nome de um tipo de saber, que é aquilo que poderíamos chamar de moral. Que é segurar a própria onda em nome de uma integração, de um outro, de uma harmonia, enfim.

Pondé – Volto a dizer, o processo de emancipação – e Kant é muito ingênuo nisso – destruiu qualquer possibilidade de autorregulação. Assim como o processo de instrumentalização também o fez. **Freud** ficou encantado quando leu *Irmãos Karamazov*, de **Dostoiévski**, que é a história de um parricídio, porque percebeu ali o desejo da humanidade de matar o pai como figura simbólica, como representante da norma introjetada. Portanto, a ideia de que as pessoas possam se autorregular me parece cada vez mais distante. Até porque qualquer noção de autorregulação pode ser revidada pelos mais jovens sob o argumento de que, na verdade, são formas de opressão – "a moral imposta pela sociedade", como falam. O que está para acontecer é a construção de manuais universais de *compliance*, inclusive para a vida afetiva. Inclusive, destruindo a vida afetiva.

GLOSSÁRIO

Adorno, Theodor (1903-1969): Filósofo e musicólogo alemão, foi um dos expoentes da chamada Escola de Frankfurt. Interessou-se por questões referentes à sociedade de consumo e aos meios de comunicação de massa, sendo considerado um dos mais importantes críticos de meados do século XX. Entre suas obras, destaca-se *Dialética do esclarecimento*, escrita em parceria com o também filósofo alemão Max Horkheimer.

Anaximandro (a. 610-547 a.C.): Filósofo e astrônomo grego, pertenceu à Escola de Mileto, fundada por Tales, que tinha a preocupação de encontrar um princípio único, ou uma substância fundamental, que explicasse a origem e a formação do mundo. Para Anaximandro, essa substância básica do que derivariam todas as coisas era o *ápeiron* – o infinito.

Anaxímenes (a. 588-524 a.C.): Filósofo grego, foi juntamente com Anaximandro discípulo de Tales de Mileto. Acreditava que o ar era a substância primária da qual tudo o que existia no mundo era feito.

Aristófanes (447-385 a.C.): Um dos principais dramaturgos da Grécia Antiga, foi responsável por clássicos da comédia grega, tais como *As vespas*, *As rãs* e *A assembleia de mulheres*. Ateniense, teve uma educação sofisticada e uma posição política aristocrata, em oposição aos democratas que estavam no poder, de modo que empreendia sátiras políticas e sociais em suas peças.

Aristóteles (384-322 a.C.): Filósofo grego, é considerado um dos maiores pensadores de todos os tempos e figura entre os expoentes que mais influenciaram o pensamento ocidental. Discípulo de Platão, interessou-se por diversas áreas, tendo deixado um importante legado nas áreas de lógica, física, metafísica, da moral e da ética, além de poesia e retórica.

Badiou, Alain (1937): Filósofo e dramaturgo francês nascido no Marrocos, sua trajetória é marcada pela militância maoísta, corrente comunista baseada nos ensinamentos do estadista chinês Mao Tsé-Tung. Autor de vasta produção intelectual, orientou, entre outros, o filósofo chileno-brasileiro Vladimir Safatle.

Bauman, Zygmunt (1925-2017): Sociólogo e filósofo polonês, ficou famoso pelo conceito de "modernidade líquida", que se caracteriza por relações efêmeras e superficiais. Autor de vários livros, entre eles destacam-se *Amor líquido: Sobre a fragilidade dos laços humanos*, *Modernidade e ambivalência* e *Vida para consumo*.

Bergman, Ingmar (1918-2007): Ficcionista sueco, um dos grandes mestres do cinema, destacou-se por filmes ensaísticos de temática existencialista. Suas obras discutiam temas humanos fundamentais, como a fé, a morte e a solidão. Realizador de filmes como *Persona*, *O sétimo selo* e *Morangos silvestres*, voltou-se mais para o teatro a partir da década de 1980.

Deleuze, Gilles (1925-1995): Filósofo francês, publicou obras de análise crítica sobre diversos pensadores contemporâneos como Nietzsche, Kant e Espinosa. Também são significativas suas intervenções em outras áreas do conhecimento, como atestam seus trabalhos sobre Proust e Sacher-Masoch. Tem diversas obras traduzidas para o português, entre as quais *A dobra: Leibniz e o barroco* e *Para ler Kant*.

Descartes, René (1596-1650): Filósofo e matemático francês, por vezes chamado de "o fundador da filosofia moderna", é considerado um dos pensadores mais importantes e influentes da história do pensamento ocidental. Inspirou contemporâneos e várias gerações de filósofos posteriores. Sua mais célebre obra, *Discurso do método*, foi publicada em 1637 na França.

Dostoiévski, Fiódor (1821-1881): Escritor russo, é considerado um dos maiores romancistas da literatura mundial. Inovador por explorar problemas patológicos como a loucura, a autodestruição e o assassinato, suas obras mais conhecidas são *Crime e castigo*, *Notas do subterrâneo* e *Os irmãos Karamazov*.

Eco, Umberto (1932-2016): Escritor e semiólogo italiano, foi autor de ensaios sobre as relações entre a criação artística e os meios de comunicação. Entre suas obras estão: *A obra aberta* (1962), *Apocalípticos e integrados* (1964) e *Kant e o ornitorrinco* (1997). Em 1980, tornou-se mundialmente famoso com seu romance de estreia, *O nome da rosa*. Após oito anos, publicou *O pêndulo de Foucault*, que também foi bem-recebido.

Enesidemo (séc. I a.C.): Filósofo grego, pertenceu à escola cética, que empregava uma série de argumentos, conhecidos como tropos ou modos, para induzir a suspensão do juízo em oposição às doutrinas dogmáticas. Os mais conhecidos são os dez modos atribuídos a Enesidemo.

Epicteto (55-135 d.C.): Filósofo grego, viveu boa parte de sua vida como escravo em Roma. Pertenceu à escola estoica, que via nos afetos o lado patológico da condição humana; somente a virtude, entendida como único bem da vida, seria capaz de dominá-los.

Espinosa, Baruch (1632-1677): Filósofo racionalista holandês, nascido numa família judaico-portuguesa, fundou o criticismo bíblico moderno. Acusado de herege, foi expulso da sinagoga de Amsterdã e deserdado pela família.

Foucault, Michel (1926-1984): Filósofo francês, dedicou-se a discutir o conceito de loucura, tendo em vista que sua referência varia conforme a época, o lugar e a cultura. Foi também um analista agudo do poder em todas as suas formas. *História da loucura na idade clássica*, *As palavras e as coisas*, *A arqueologia do saber* e *Vigiar e punir* são algumas de suas obras.

Freud, Sigmund (1856-1939): Médico neurologista e psiquiatra austríaco, ficou conhecido como o "pai da psicanálise" por seu pioneirismo nos estudos sobre a mente e por apresentar ao mundo o inconsciente humano.

Kafka, Franz (1883-1924): Quase desconhecido em vida, a maior parte da obra desse escritor nascido em Praga – novelas, romances, contos, cartas e diários – foi publicada postumamente. *O processo*, *A metamorfose* e *Carta ao pai* são alguns de seus principais trabalhos. É considerado um dos maiores escritores do século XX.

Kant, Immanuel (1724-1804): Filósofo alemão, suas pesquisas conduziram-no à interrogação sobre os limites da sensibilidade e da razão. A filosofia kantiana tenta responder às questões: Que podemos conhecer? Que podemos fazer? Que podemos esperar?

Entre suas obras, destacam-se *Crítica da razão pura*, *Crítica da razão prática* e *Fundamentação da metafísica dos costumes*.

Kierkegaard, Soren (1813-1855): Filósofo dinamarquês do século XIX, foi um dos precursores da filosofia existencialista. Escreveu centenas de textos sobre temas como ética, estética e política, a maioria deles na forma de ensaios. Entre suas obras destacam-se *Temor e tremor* (1843), *O conceito de angústia* (1844) e *Migalhas filosóficas* (1844).

Luhmann, Niklas (1927-1998): Sociólogo alemão, é considerado um dos mais importantes teóricos do século XX, tendo se dedicado ao estudo dos sistemas sociais. Sua teoria tem a comunicação como elemento central, com o papel de regular as relações entre sistema e ambiente.

Maffesoli, Michel (1944): Sociólogo francês e pesquisador titular da Sorbonne, é um estudioso das questões de nosso tempo. Defende que as elites estão cada vez mais desconectadas da vida cotidiana das pessoas comuns e que já não existe "uma única opinião pública, mas um mosaico de opiniões públicas", fenômeno que pode ser observado na internet. É autor de diversas obras, entre as quais *A conquista do presente*, *O conhecimento comum*, *O tempo das tribos* e *A contemplação do mundo*.

Marcuse, Herbert (1898-1979): Influente filósofo alemão do século XX, pertencente à Escola de Frankfurt, foi um dos principais críticos da sociedade capitalista de consumo. Filho de judeus, com a ascensão do nazismo emigrou da Alemanha para a Suíça, e depois para os Estados Unidos, onde obteve a cidadania em 1940. Entre suas obras, destacam-se *Eros e civilização* e *O fim da utopia*.

McLuhan, Herbert Marshall (1911-1980): Sociólogo e ensaísta canadense, dedicou-se a estudar os meios de comunicação, autodenominando-se "filósofo das comunicações". Considerava o meio (ou o veículo) que transmite a mensagem mais relevante que seu conteúdo ("o meio é a mensagem"). Por volta dos anos 1960, muito antes da difusão da internet, já afirmava que o mundo se tornaria uma "aldeia global", em que distância e tempo seriam suprimidos.

Montaigne, Michel de (1533-1592): Filósofo, jurista e político francês, defendia o conhecimento de si mesmo como ponto de partida para uma ação em acordo com a verdadeira natureza do homem. Em 1572, começa a escrever os *Ensaios*, cuja edição definitiva viria a público somente em 1595, após sua morte. Na obra, estabelece um vínculo entre sua própria condição humana e o conceito universal do homem.

Pascal, Blaise (1623-1662): Filósofo, escritor, matemático e físico francês do século XVII, foi o primeiro grande prosador da literatura francesa. A filosofia apologética criada por Pascal postula que há mais ganho pela suposição da existência de Deus do que pelo ateísmo, e que uma pessoa racional, mesmo que por prudência, deveria pautar sua existência como se Deus existisse.

Paz, Octavio (1914-1998): Ensaísta e poeta mexicano, é considerado, em seu país, o mais controvertido poeta da segunda metade do século XX. Sua fama deve-se à lírica de influência surrealista e aos caminhos da poesia concreta por que enveredou depois, na qual foram confluir elementos mexicanos e europeus. Recebeu o prêmio Nobel de Literatura em 1990.

Platão (427-347 a.C.): Um dos principais filósofos gregos da Antiguidade, discípulo de Sócrates, influenciou profundamente a filosofia ocidental. Considerava as ideias o próprio objeto do conhecimento intelectual. O papel da filosofia seria libertar o homem do mundo das aparências para o mundo das essências. Platão escreveu 38 obras que, pelo gênero predominante adotado, ficaram conhecidas pelo nome coletivo de *Diálogos de Platão*.

Popper, Karl (1902-1994): Filósofo britânico de origem austríaca, entendia como próprio de uma teoria científica a *falseabilidade* (possibilidade de ser empiricamente refutada). Foi influenciado pelo ambiente cultural da Viena do início do século XX, momento de emergência de uma corrente filosófica que viria a ter impacto mundial: o neopositivismo. Suas principais obras são: *A lógica da investigação científica* (1935), *A sociedade aberta e seus inimigos* (1945) e *Conjecturas e reflexões* (1963).

Putin, Vladimir (1952): Presidente da Rússia desde 2012, também ocupou esse cargo de 2000 a 2008. Foi ainda primeiro-ministro desse país em duas oportunidades: de 1999 a 2000 e de 2008 a 2012. Apesar de gozar de notável popularidade, tem sofrido críticas por conta de seu governo visto como autoritário e de medidas consideradas antidemocráticas.

Rodrigues, Nelson (1912-1980): Jornalista e dramaturgo, é considerado por alguns como a mais revolucionária figura do teatro brasileiro. Seus textos eram permeados de incestos, crimes e suicídios. Entre suas peças, destacam-se *Vestido de noiva* e *Toda nudez será castigada*.

Rosenzweig, Franz (1886-1929): Filósofo e teólogo alemão, de origem judia, foi soldado na Primeira Guerra Mundial, período em que também se dedicou a alguns escritos. Mais tarde, fundaria a Casa Livre de Estudos Judaicos, em Frankfurt, para dedicar-se ao ensino. Com base em seus seminários, escreveu *Das Büchlein des gesunden und kranken Menschenverstandes* (Livrinho do entendimento humano sadio e doente).

Rougemont, Denis de (1906-1985): Escritor suíço, é autor do clássico *História do amor no Ocidente*, publicado pela primeira vez em 1939. No livro, ele trata da tensão entre paixão e casamento na cultura ocidental.

Safatle, Vladimir (1973): Filósofo nascido no Chile, veio para o Brasil ainda bebê. Concluiu o doutorado em 2002 na Universidade Paris VIII, na França, sob a orientação do filósofo Alain Badiou e, desde 2003, é professor no Departamento de Filosofia da USP.

Sócrates (470-399 a.C.): Filósofo grego, não deixou obra escrita. Seus ensinamentos são conhecidos por fontes indiretas. Praticava filosofia pelo método dialético, propondo questões acerca de vários assuntos.

Tales de Mileto (a. 625 a.C.-?): É considerado o primeiro filósofo grego. Fundou a Escola de Mileto e tinha Anaximandro e Anaxímenes como discípulos. Como eles, acreditava na existência de um princípio único que constituiria a essência do universo, embora discordassem sobre qual seria essa substância primordial. Tales considerava que a origem de todas as coisas estava na água.

Tomás de Aquino (1225-1274): Frade italiano da ordem dominicana, foi um dos mais importantes pensadores da era medieval e influenciou a teologia e a filosofia modernas. Em sua *Suma teológica*, discutiu a teologia católica com base na filosofia clássica greco-latina, de modo que unisse fé e razão.

Vattimo, Gianni (1936): Graduado em Filosofia, cursou sua especialização em Heidelberg, na Alemanha, quando conheceu Hans-Georg Gadamer. Tornou-se professor de Estética e, posteriormente, de Filosofia na Universidade de Turim. É editor da *Rivista di estetica* e escreve para os jornais *La Repubblica* e *La Stampa*.

Especificações técnicas

Fonte: Adobe Garamond Pro 12,5 p
Entrelinha: 18,3 p
Papel (miolo): Off-white 80 g
Papel (capa): Cartão 250 g
Impressão e acabamento: Paym